落　合　陽　一

魔　法　の　世　紀

PLANETS

魔法の世紀／目次

魔法の世紀

まえがき

「映像の世紀」から「魔法の世紀」へ

人類が「映像」を本格的に手にしたのは、エジソンがキネトスコープを発明した19世紀末のことでした。馬などの絵を高速で回転させて動いたように見せる、古くからあるカラクリ器具「ゾートロープ」に写真を組み合わせた技術は、その4年後にリュミエール兄弟によってシネマトグラフへと発展しました。

キネトスコープとシネマトグラフの最大の違いは、キネトスコープが「一人の人間が穴を覗き込んで映像を見る」装置だったのに対して、シネマトグラフが「複数の人間が壁に映された映像を共有して見る」装置だったことです。今から見れば貧弱な映像ですが、その光景を見たロシアの文豪マクシム・ゴーリキーは、1896年の記録の中で、この発明のためのコンテンツが作られ市場で使われるであろうこと、映像という体験が極めて複雑で精神的な影響があるものだということを述べています。そして、まさにゴーリキーの記録は、すぐ目の前に迫っていた世紀を予見するものでした。

そう、20世紀は「映像の世紀」でした。

映像はフィルム技術、映写技術、通信技術という分野横断的なテクノロジーの数多の進歩によって発展してきた歴史を持っています。

それは同時に、20世紀が「映像」を通して時間と空間、人間同士のコミュニケーション、イメージの伝達方法、コンピュータのインターフェース、虚構と現実の関係などを考えていた時代であったことも意味しています。「映像」がなければ、人類社会はまるで別の形をしていたはずです。

20世紀の人間は、「映像」によって物事を大量の人間の間で共有することの威力に、すぐに気づきます。と、同時に、これを社会的に利用しようと考える人も現れます。

例えば、ナチス総統アドルフ・ヒットラーがわかりやすい例です。彼は群衆の統治の手段として「文字」を信じていないことを、『わが闘争』で述べています。代わりに彼は「映像」や「音声」によって、国民に自らの思想や権威を共有させました。それがとてつもない効果を発揮したのは、皆さんも知っての通りです。人間は映像の力を借りると、離れた場所にいる他人と恣意的な認識をいとも簡単に共有できることが、わかってしまったのです。

例えば、ナチス政権下のドイツが開催したベルリン・オリンピックでは、世界で初めてオリンピックの光景が映画に記録されました。ドイツの威信をかけた開会式の荘厳な演出の映像は、世界中の映画館で上映されました。もちろん、ナチスのその後は皆さんの知っての通りですが、彼らの勢力拡大に映像の威力が寄与していたのは疑いありません。映像は国民国家の統治手段として有効であることが示されたのです。

NHKの有名なドキュメンタリーに『映像の世紀』というものがありますが、まさに20世紀はあらゆる意味において「映像の世紀」だったのです。

ハリウッド映画は20世紀を通して、キリスト教やイスラーム教などの世界宗教以来の、グローバルに共有されるコンテクストになりました。また、ロサンゼルス・オリンピック以降、オリンピックの興行は映像と強く結びついて発展してきました。そして20世紀後半には、各家庭に映像を配信するテレビの世界的普及を経て、映像は人々の意識を共有する手段としてますます強い力を持つことになりました。

魔法の世紀の根本理念はコンピュータである

僕がこの本で書こうとしているのは、そんな「映像の世紀」としての20世紀の次に訪れる、21世紀の社会についてです。目を凝らせば、これから起きる転換がどんなものかが見え始めています。僕はそれを「魔法の世紀」と呼んでいます。

転換が始まったのは、まさに「映像の世紀」のまっただ中でした。発端は、ヒットラーが引き起こした第二次世界大戦の最中に発明され、やがてハリウッド映画のCG制作に欠かせない存在にもなった「魔法の箱」——コンピュータの登場によるものです。

当初、コンピュータは暗号解読や弾道計算の装置として利用されていましたが、やがてテレビのようなディスプレイがついた一種のメディア装置として商品化され、一気に普及していきます。それはまさに「映像の世紀」にふさわしい、ディスプレイで扱える「平面上の表現」を作り出す優れた道具だったのです。

ところが、インターネットの登場以降、コンピュータは「映像の世紀」にはそぐわない方向に社会を動かし始めています。

例えば、私たちがスマートフォンでTwitterを見るとき、一つのタイムラインを共有していません。同じイメージを映し出して全員で共有する映画やテレビとは違って、各々がバラバラのディスプレイを眺めているのです。また、映画館で映像と向き合っているとき、私たちは孤独に沈黙して、イメージと一対一で向き合っています。しかし、Twitterでは双方向的に、好きなだけ相手に話しかけられます。このN対Nとでも言うべき、インタラクティブなネットワーク構造によるソーシャルな繋がりは、映像の共有によって維持される社会とは異なるロジックで人と人を結びつけています。僕の考える21世紀は、人間や物事が20世紀的映像文化に象徴されるような中間物を媒介せずに、コンピュータによって直接繋がる時代なのです。

では、この新しい時代を支える新しい技術のことを、僕はなぜ「魔法」と呼ぶのでしょうか。

社会学者のマックス・ヴェーバーは、かつて「脱魔術化」という言葉で、社会に科学が浸透していく過程を表現したことがあります。例えば、細菌の存在を発見したパスツール以前の時代から、人々は缶詰や瓶詰を作る際に食材を火で炙ったり茹でたりしていました。しかし、その理由は「炎が穢れを浄化するから」という、現代の自然科学の考え方からすると魔術的、迷信的なものでした。近代科学がこういった古い世界認識を変えていった過程は、改めて説明するまでもないでしょう。

ところが、現代社会の仕組みはあまりに複雑で難しくなっています。原子力発電はなぜ可能なのか、インターネットの仕組みはどうなっているのか、マクドナルドのあの安価な商品はなぜ提供可能なのか——こういった社会を成立させる基本的な仕組みがよくわからないまま、人々は社会活動を行っています。

こうした社会の変化は、アメリカの社会批評家モリス・バーマンの著作『The Reenchantment of the World[引用1]（世界の再魔術化）』の中で、「脱魔術化」に対応する「再魔術化」という言葉で定義されています。「脱魔術化」に関してはパオロ・ロッシの『魔術から科学へ[引用2]』が詳しいですが、本書ではバーマンの「再魔術化」がユビキタスコンピュータの社会普及に伴い、より本格的に進行していることを指摘し、今後の世界についてできるだけ具体例を挙げながら記述することを目標にしています。今、テクノロジーは私たちの行動の幅を広げる方向に発達しているにもかかわらず、その仕組みはまるで魔法のように、ますますわかりにくくなっているのです。

何よりも重要なのは、内部のテクノロジーの仕組みを理解しなくても、コンピュータは簡単に使えてしまうということです。むしろ、そうでなければ実社会で広く普及することはないでしょう。内部のテクノロジーが意識されないまま、それどころか究極的には、装置の存在そのものが意識されなくなったときに初めて、テクノロジーは社会や我々人間それ自体を変えるようになるはずです。

「映像の世紀」のまっただ中の１９７３年に、SF作家アーサー・C・クラークは、「充分に発達した科学技術は、魔法と見分けがつかない」という有名な言葉を残しました。魔法とテクノロジーについて考えたときに皆さんが最初に思い浮かべるのは、この言葉ではないでしょうか。

研究者やエンジニアたちは、世の中に文字通りの「魔法」なんて存在しない、最初からあり得ないものと思い込んでいます。だからこそ、彼らはこの表現に巧妙さを見いだすのでしょう。しかし、僕はこの言葉を、単なるレトリック以上の可能性として捉えています。つまり、人々が存在を意識しないほど高度な技術は、文字通りの「魔法」になりうるのではないか、ということを示唆している、と。

僕は「再魔術化」の果てにあるのは、まさにクラークが遺したこの言葉が実現した世界だろうと考えています。

実は、クラークが描いた「魔法と区別がつかないような技術」の実現は、既に始まっています。彼は、20世紀の映画を代表するS・キューブリックの名作『２００１年宇宙の旅』の原作者として有名ですが、あの映像に我々がかいま見た表現は、おそらく21世紀にはこの現実世界でも実現するでしょう。

例えば、『２００１年宇宙の旅』では、無重力の宇宙船の中で物体が宙に浮く映像が特殊撮影で表現されていますが、それを重力下で実現するための研究は実際に進んでいます。他ならぬ僕自身が、その研究者の一人です。

写真１は、僕が２０１４年に発表した『Pixie Dust』という装置です。これは一言で言うと、音波で物体を浮遊させて操る装置です。

超音波によって定常波を作り、そこに物質を閉じ込めることで、物体を浮遊させています。超音波焦点の位置を変えることで、３次元上での操作も可能になっており、移動させたり形を変えたりすることもできます。これをYouTubeにアップロードしたところ、国内外のメディアから取材が殺到しました。近年の研究レベルでのテクノロジーは、こんなことを可能にし始めているのです。

また、写真２は２０１５年に発表した『Fairy Lights

写真１―Pixie Dust

in Femtoseconds』です。これは空中に輝点を生み出して、実際に触れるようにした装置です。

空気分子をプラズマ化していて、空中に光で3次元の像を描くことができます。面白いのは、発振時間のごく短いフェムト秒レーザーを用いているので、超高温のプラズマを指で触っても皮膚にほぼダメージがないことです。「プラズマの触り心地」という奇妙な体験を味わうことができます。

これらはいずれも3次元空間における「紙」や「スクリーン」に当たります。まるで絵画や映画を作るようにして、リアル世界の物体を自在に表現できるようにするための装置です。

しかし、なぜこんな「魔法」が実現しているのでしょうか。それは一つの道具の存在によるものです。前世紀に戦争の道具として発明され、人類の知的生産からコミュニケーションに至るまで、広範囲に革命を引き起こ

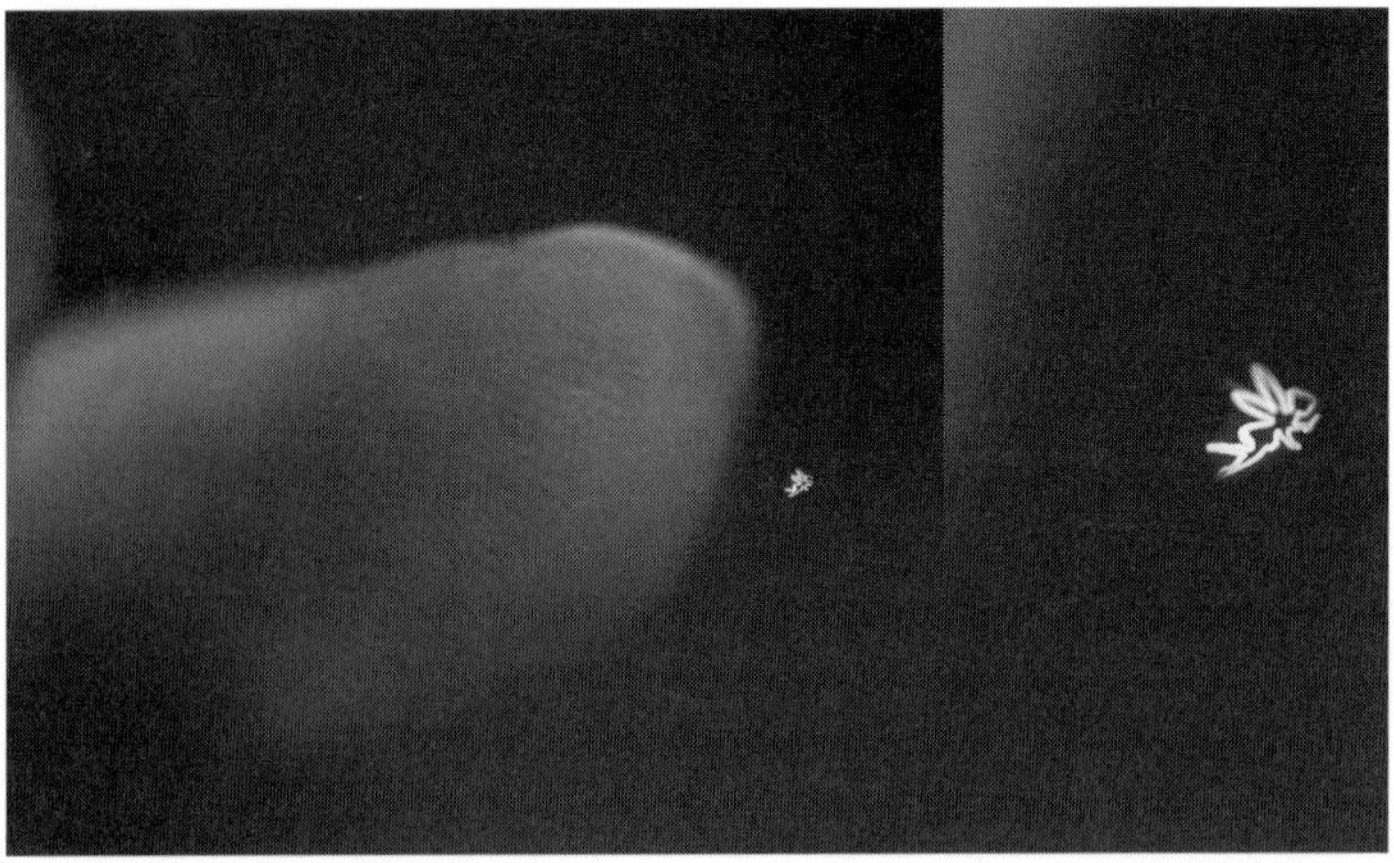

写真2—Fairy Lights in Femtoseconds

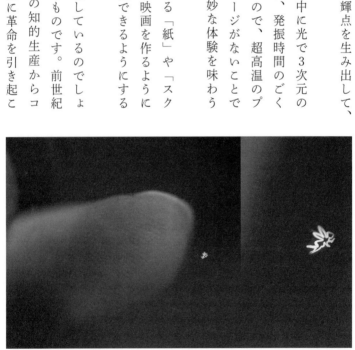

し、映像の中に魔法のような表現としてのグラフィクスを差し挟むことを可能にした「魔法の箱」——そう、コンピュータです。

そしてコンピュータ技術の発展を牽引したシリコンバレーのギークたちは、まさにクラークが代表する20世紀のＳＦ黄金期とその後のニューウェィブの強い影響下にある子供たちでした。そんな彼らがコンピュータを手にしたときに、かつてのＳＦで描かれていた「魔法」をこの世界に実現し始めたのです。そう、「魔法の世紀」において、その魔法の素（マナ）となるのは、まさしくコンピュータなのです。

現在のコンピュータ開発の流れは、立体物をコピーする３Ｄプリンタ技術など、もはやディスプレイの内側だけではなく、その外側へと「染み出し」つつあります。物質が瞬く間にコピーされ、生成される。まるでこの世界自体がファンタジーになりうるような時代です。「魔法の世紀」とは、「映像の世紀」においてイメージの中で起こっていた出来事が、物質の世界へ踏み出して行く時代なのです。

前世紀の１９８５年、ジャロン・ラニアーがＶＰＬリサーチ社を起し、先進的な研究でバーチャルリアリティという言葉を一気に広めていきました。Virtual（実質上の）という言葉は我々の現実の定義を再考するきっかけを与え、「現実とは何か」という問題をテクノロジーによって現前させせました。１９９０年になるとボーイングの技術者だったトム・コーデルによって「拡張現実（AR）」という新しい言葉がさらに定義され、コンピュータ技術を用いて、我々の対峙する現実にどうやって情報技術の恩恵を付与していくのかというパラダイムも生まれました。広義には、スマホ、コンピュータ、ウェアラブル、すべてのIT機器によって我々は拡張現実の世界を生きているようなものです。

この本は、VRやARの成立以前まで振り返り、コンピュータの世紀である「魔法の世紀」とは何かを、様々な観点から書いた本です。我々を「逃れられない一様の現実」という視点から自由にするには、コンピュータの黎明期に何があったのか、我々はメディアをどう誕生させてきて、これからどうなっていくのかを、VRやARが浸透する以前まで遡って考えていく必要があると考えました。

現状把握と未来へ。未来という意味では、この本は僕のもう一つの顔である、メディアアーティストそして研究者としてのマニフェストでもあります。

両親は、僕が生まれたときに、電気の「＋」と「－」から「陽一」という名前をつけたそうです。その影響からか、子供の頃から理科が好きで、一人で行う簡単な実験に没頭したり、大学の研究室に遊びに行ったりしながら育ってきたのですが、その一方でアートにも強く惹かれ、学生の頃からメディアアートの分野で作品を発表してきました。現在の僕は筑波大学に所属する研究者であると同時に、メディアアーティストとしても活動しています。

しかし、僕はこの二足のわらじを履く中で、一つの悩みを抱えてきました。それは、自分という人間を語る「軸」はどこにあるのかという悩みです。僕の中で、研究と表現は不可分のものです。しかし、そのことを他人に説明する言葉を、なかなか見つけることができませんでした。単に自分の各々の研究を説明するだけならば、あるいは自分の作品のコンセプトを解説するだけならば簡単です。ところが、その二つがどう結びついているのかを説明することは、困難なのです。

あるときから、僕はこの問題を解決するためには、技術と芸術の両方――つまり、ラテン語の〝Ars〟の現代的なあり方を表現するメタな視点が必要ではないかと考えるようになりました。しかもそれは、アートと技術を包括するものでありながら、どちらとも異質である必要があります。それこそが、この「魔法」という概念であり、そして「魔法の世紀」というパラダイムなのです。

これは僕自身のあり方を説明する言葉であるのと同時に、僕たちの生きる21世紀の世界を象徴するキーワードでもあります。僕が、「研究者」と「アーティスト」という二つの立場を往復しながら身につけた科学、哲学、美学についての理解は、作品や研究を作る上で欠かせないものとなっています。そして、それを共有することはマーケティングやデザインまで様々な人々にとっても有益であるはずです。

僕自身はコンピュータの研究者としても表現者としても、まだ駆け出しですが、それでも、今ここから見える未来には必ず価値があると信じています。今の日本や世界には「あれがない、これがない」もしくは「もう満ち足りた」という言葉が溢れていますが、そんな「前世紀のパラダイムを超えられない成熟社会」になってしまった日本や世界に向けて、大いなる希望を持って書き記していくつもりです。

20世紀が「映像の世紀」なら、21世紀は「魔法の世紀」。

あらゆる虚構、リアル／バーチャルの対比を飛び越えて、僕ら自身が魔法使いや超人になる世界。虚構はひとつの現実に吸収され、この世界自体が物語になっていく。知的好奇心がサステーナブルな希望を実現し、コンピュータが自然と人工物とをとりなして新たな自然観を開いていく。その中で人間はより人間らしく、幸福に生きていく。

そんな世紀に向けて静かに動きだしているこの世界を、僕の視点から語っていきたいと思います。

第　1　章

魔法をひもとく
コンピュータヒストリー

魔術化する世界

そもそも魔法とは我々の社会でどう語られてきたのでしょうか。

「魔法」という言葉の定義は、いくら辞書を調べても統一的な見解はないようです。せいぜい「常人には不可能な手法や結果を実現する力のこと」あたりが共通のイメージでしょうか。しかし、現在の僕たちが考える魔法のイメージに大きく影響を与えている文脈は明白です。それは神話から始まり、現代のファンタジー小説やアニメ、ゲームなどのサブカルチャーに至るまで、古今東西の様々な物語の中で描かれてきた魔法です。火を出したり、ものを浮かべたり、人間を空間的に転送したり、テレパシーで意思を伝え合ったりといった様々な超常現象を人々は想像してきました。

こういった想像は原理的な機序、どういう理屈でその奇跡がなされるのか、とは切り離されて描かれます。というのも、これらの物語の多くには魔法が使える理由や本質的な仕組みは書かれておらず、魔法は原理を意識せずに、ただ当たり前に存在するものとして描かれています。もしくは物語中では当たり前のように存在している魔法の原理が、これみよがしに説明されることになります。つまり、物語の中で描かれてきた〈魔法〉は、その作用を目にしたときに、原理を人々に意識させないものなのです。この「無意識性（唯一の虚構性）」こそが実は〈魔法〉の最大の特徴です。そして、実は僕が研究しているユーザーインターフェースの分野にも、計算機の無意識性を重要な特徴と考える理念があるのです。それが「カーム・テクノロジー」です。

この言葉は「ユビキタスコンピューティング」の概念の形成に大きく貢献した、パロアルト研究所[注1]のマーク・ワイザーという研究者が世に与えたものです。彼は1991年に書いた「21世紀のコンピュータ（The Computer for the 21st Century）」[引用3]という論文の中で、当時まだほとんど普及していなかったラップトップ類を「過渡期の存在」と呼んで、自分たちの目的は「コンピュータを人間の環境と統一させ、コンピュータに対する意識をなくすこと」であると主張しました。要するにコンピュータが水や空気のような当たり前の存在となり、普段の生活の中では意識されなくなることを目指していたのです。数年後、彼は21世紀を待つことなく逝去しますが、その晩年に「カーム・テクノロジー」[引用4]という新たな言葉を提唱して、あらゆる場所で発信し

注1　米国の複写機大手のゼロックスが1970年に設立した研究所。1970年代に、レーザープリンタ、GUI、イーサネットなど現代の情報技術を支える様々な発明がここで生まれていた。

続けました。

この「カーム・テクノロジー」を日本語に翻訳すると、「穏やかな技術」になります。彼は、コンピュータの存在を意識せずに、より自然な形でコンピュータの恩恵を受けられる世界を夢見て、それを「穏やかな」という言葉で表現したのです。

この故マーク・ワイザー博士のテクノロジーについての思想は、現在のコンピュータ科学に強い影響を与えています。彼の主張は、端的に言えば「メディア」や「テクノロジーそれ自体」が意識されなくなる方向にコンピュータは発展していくし、また人との関わりにおいてそれが自然だということです。

そもそも、マーク・ワイザー博士が「21世紀のコンピュータ」の中で提唱した「ユビキタスコンピューティング」は、いつでも・どこでも互いに接続されたコンピュータが人間をサポートすることで、人間はテクノロジーを意識しなくなるというビジョンでした。博士の意図は、この〝テクノロジーを意識しなくなる〟という点にこそあったのですが、世間では「いつでも・どこでも」が強調され、モバイル通信が盛んに行われる社会のことであるかのように曲解されています。

実際、皆さんもユビキタスコンピューティングと聞くと、博士が考えた「コンピュータが見えない（意識されない）世界」というよりも、むしろ「コンピュータが溢れかえり、誰もがスマートフォンなどの端末を常に使わなければ生活できない世界」を想像するのではないでしょうか。それは博士の意図とは対極にあり、本人もそれを否定しています。あらゆるところにあるデジタルデバイスが人々に意識されるようになると、人は便利な中に生きているはずが、デバイスが承認や操作を求めるため、認知上非常に忙しくなってしまう。情報が溢れかえり、人はコンピュータの操作と表示される情報の取得でパンクしてしまう。

そんな息苦しい世界ではなく、高度に発展したコンピューティングによって空気のような、植物のような、そんなアンビエントなコンピュータを実現する。そうすればコンピュータの存在を意識することはなくなる。これこそが、マーク・ワイザーの夢見た本来の「ユビキタスコンピューティング」であり、そのことを強調するために晩年の博士は「カーム・テクノロジー」という言い方を再び提唱したのです。

とはいえ、スマートフォンは従来の据え置き型のパソコンに比べて、だいぶ「ユビキタスコンピューティング」に近づいてはいます。

例えば、スマートフォンで使われるTwitterやFacebookのようなソーシャルメディアを「喫煙所みたいなもの」と表現する人がいます。あるいは、僕の周囲にはネット回線がない場所を、「息がしづらい」と形容する人もいます。ソーシャルメディアにどっぷりはまった人たちにとって、そのメディアやバックグラウンドにあるテクノロジー自体は日常生活の中で意識されない状態になります。それゆえ、逆にネットから切断されたときに急にその存在を意識するようになるのでしょう。

現代はある意味で、既に空気のようなメディアが実現されつつあると言えます。少なくとも無線網とアプリケーションのマルチデバイス対応によってハードウェアへの意識はだんだんと弱くなってきており、ユーザーの意識は個々のアプリや目的自体に傾きつつあります。ウェブインターフェースで投稿しようが、スマートフォンのアプリで投稿しようが、はたまたスマートウォッチでメッセージを送ろうが、その投稿プロセスについては無意識的に行われる。さらに、一つの文章や画像を複数のソーシャルメディアに自動的に表示するように設定しているヘビーユーザーには、それらのどのソーシャルネットに投稿するのか選択することすらも、空気のように感じている。それが現在の我々のメディアに対する認知的特性なのではないでしょうか。

しかし、残念ながらスマートフォンは、まだまだインターフェースに問題がありまず。まず、指での入力に対して、あの画面はやや小さく、応答速度も速くありません。入力に対する出力も、画面からの色と光でしか返ってこないために、触覚やそれに伴う臨場感がありません。しかも、持ち運ぶにはまだまだ重く、充電しないと動きません。これでは、本当の意味で空気のように日常に溶け込んだ道具とは言えません。2015年現在、まだ、椅子や机、鉛筆や紙などと比べて、デジタルデバイスは高価で特別感があり機械を操作しているという認識のある装置です。マーク・ワイザーのカーム・テクノロジーに近づくためには、もっと我々が情報と直接に触れ合うような感覚を与える機能、そしてスマホのようなメディアに対して、それ自体を意識せず無意識的に使えること、複雑な動作機序を計算機が吸収することが必要です。

このマーク・ワイザーがカーム・テクノロジーによって実現すべきと考えた情報環境を、ここでは〈非メディアコンシャス〉と呼ぶことにします。

20世紀はメディアが、特に映像メディアが社会のあり方を強く決定していた時代だったことは既に説明しましたが、これは同時に20世紀がメディアに対する意識に満ちていたことを意味します。僕たちは20世紀には、「新聞やテレビでこうした出来事が報道されていた」という言い方で、社会の出来事とその文脈を共有していましたが、このとき「新聞で」「テレビで」というメディアに対する意識を強く自覚していたと思います。これがメディアコンシャスが強く作用する社会です。しかし、マーク・ワイザーが理想としたのは、物語の中の魔法のように、あるいは日常生活での空気のようにメディアが意識されない世界、〈非メディアコンシャスの世界〉なのです。そこではコンテンツのみがメディアを意識せず人の元に運ばれてきます。もう既に皆さんも自覚があるかもしれませんが、例えばセンセーショナルなニュースがあったとき、以前の我々の会話の切り出しは「昨日テレビ見た？」とか、「今朝の朝刊見た？」などの前振りで始まっていましたが、今は直接的にニュースのコンテンツそのものを見たかと聞き合うようになっています。例えば「新しいiPhone見た？」とか「テスラの発表見た？」とかいったふうに、その情報がどういった経路を伝ってきたのかに対し無自覚になりつつあります。これが、このようなマスメディアの例だけでなく、人を呼ぶ、ものを動かす、絵を描く、通信する、などのあらゆる行為、そしてそれを実現するようなコンピュータのアプリケーション機能に付随して起こってくるのです。そんな〈非メディアコンシャスの世界〉が来れば、あらゆるやりとりは計算機に吸収され、人はあらゆるものを魔法のように使役することができるようになるでしょう。

こうして考えたとき、僕たちには今のスマートフォンや今のパソコンをベースとした情報環境では、あまりにも「足りない」のです。

コンピュータを〃メディア化〃したアラン・ケイ

我々の生活とコンピュータの関わりを考えるときに、二つの欠かすことができない重要な出来事があります。

一つは、ゼロックス・パロアルト研究所での1973年の「Alto」の発明（暫定Dynabook構想）、もう一つは1984年のマッキントッシュの発売です。後者については特に語るまでもない有名な話なので、ここでは前者について話します。このコンピュータの歴史における分岐点は、アラン・ケイというコンピュータ史上の偉人の手によって作り出されたものです。

アラン・ケイは、最初のオブジェクト指向言語「Smalltalk」と現代型のGUI（グラフィカルユーザーインターフェース）[注2]を持つ最初のコンピュータAltoの生みの親であり、現在のノートパソコンとタブレット端末の原型にあたるDynabook構想を作り出した人物です。一般的には、「未来を予測する最善の方法は、それを発明することだ」という言葉を発した人として有名かもしれません。

彼のDynabook構想とは、一言で言えば「マルチメディアを扱えるようなポータブ

注2　コンピュータグラフィクスとポインティングデバイスを用いて操作するユーザーインターフェース。直感的な操作が可能になるため、現在の主流となっている。

ルコンピュータを作ろう」という思想でした。その構想時に、ケイはマクルーハン[注3]の『グーテンベルクの銀河系』[引用5]を読み込んだそうです。そうして彼の考えたDynabookとは、以下の条件を備えるものでした。

・安価で低電力動作する持ち運び可能なコンピュータ
・マルチメディア（音声・画）が扱える
・ディスプレイと直感的なユーザーインターフェースを持ち、子供が紙とペンの代わりに使える
・コンピュータのＯＳ自体が簡単なプログラムで動いていて、エンドユーザーが簡単にプログラミングできる

この思想は１９７２年の著作『Personal Computer For Children of All Ages』[引用6]の中に書かれたものですが、今から40年以上も前とは思えない先見性があります。ここで主張されているのは現在でいうところのスマートフォンやタブレットのコンセプトに近い思想であり、子供が iPhone や iPad で遊んでいる光景を見ると、着実に実現のときは迫っているなと感じるほどです（ただし、最後のプログラミングについての条件

が満たされたＯＳは２０１５年現在まだ存在しません。今一般的に普及しているiOSやAndroidは自身をプログラミングしたり、そのソフトウェアの構造が一瞬で見て取れるようなものではありません）。

そんな彼がゼロックスのパロアルト研究所で、Dynabook構想を体現する「暫定Dynabook」として開発したのが、現代型のＧＵＩを搭載したデスクトップ型コンピュータのAlto［写真３］でした。

その時代に、今のiPadのようなタブレットコンピュータを想定することがいかに大変かは、想像を絶するものがあります。何しろ、それまでのコンピュータはマルチウインドウやアイコン、マウスカーソルを備えておらず、文字入力で操作するコマンドラインインターフェースで動かすのが常だったのです。

Altoは今見ても現代型のデスクトップコンピュータと大差ありません。Dynabook構想の元になった１９７２年の文献には、子供が板状のディスプレイとキーボード

注３　ハーバート・マーシャル・マクルーハン（Herbert Marshall McLuhan １９１１－１９８０）。主著『グーテンベルクの銀河系』での活版技術が人間や社会に与えた変化の分析、「メディアはメッセージである」などの主張がメディア論に多大な影響を与えた。

を備えたコンピュータで遊ぶスケッチが描かれており、ほとんど現在の私たちの生きる世界を描いているかのようです。

彼はその先見的なビジョンを実装する中で、ＧＵＩやオブジェクト指向言語を生み出して、コンピュータの歴史を大きく進めました。もちろん、パーソナルコンピュータという形でそれを世に広めたのはAppleのマッキントッシュですが、よく知られるように、かなりこのAltoにインスパイアされたものでした。

その後、コンピュータカルチャーは２０１０年代に至るまで、子供であろうとも誰もが簡単に使えるマルチメディア端末――最終到達点としてのDynabookを追いかけ続けています。つまり、パーソナルコンピューティングは１９８４年のマッキントッシュ発売で民主化して、21世紀にスマホに進化したわけではないのです。スマートフォンを含むパーソナルコンピューティングに関

写真3―Alto

わるメディア装置の形は、1972年にDynabook構想の形で定義されており、以来マルチメディア装置というビジョンは基本的には変わっていないのです。

Alto以後、コンピュータはメディア装置としての進歩を続け、パーソナルコンピューティングの時代（パソコン）、ウェブバブル（ネットワークパソコン）を超えて、今のようなモバイル／ユビキタスの時代（スマートフォン・センサーネットワーク）になりました。しかし、私たちの思想的なバックグラウンドは、いまだ一人の偉人が定義した道順をなぞり続けているにすぎないのです。我々はグーテンベルクの銀河系の中で、ケイの奏でる音楽でダンスをし続けているようなものです。

それにしても、アラン・ケイは何が偉大だったのでしょうか。

僕の考えでは、1973年の彼こそがコンピュータを広い意味での「メディア装置」、マルチメディアコンピュータとして明確に捉えた、最初の人物だったのだと思います。

今ではもう当たり前のようにコンピュータはメディア装置として機能していますが、コンピュータがメディアになる未来は、あらかじめ決められていたわけではありませんでした。そもそも20世紀のコンピュータ開発は、非常に時間のかかる弾道計算をすぐに処理する目的や、暗号の解読など戦争用の計算機として始まっています。コンピュータが持ち運び可能なマルチメディア端末として進歩したことも、エンドユーザーが使う道具になったことも必然ではないのです。コンピュータグラフィクスでさえも、当初はプロフェッショナル用の補助ツールとして登場し、それが先駆者のビジョンによってエンターテインメントやゲームなどに向かってコンテンツ化し、今やエンドユーザーがそれをツールにして絵を描くように「民主化」していったのです。

そう、マクルーハンが『グーテンベルクの銀河系』で語ったメディア論と、コンピュータのコンテクストが交わったのは、アラン・ケイによってコンピュータのメディア装置としての可能性が明らかにされて、そういう方向に進化したからに過ぎないのです。コンピュータ史は誰かが考え、それに社会が追従してきました。

現在のスマートフォンやタブレットは「Dynabook的なマルチメディア装置」の暫定的な実装でしかありません。結局のところ、１９８４年にマッキントッシュの登場でパーソナルコンピュータが民主化される以前に完成された思想を実現するべく、この30年の間それを追いかけて進歩してきたのがコンピュータの歴史なのです。

そう考えてみると、「パソコンからスマートフォン」が同じ進化の系譜にあったのに対して、「スマートフォンからその次」の間には、もの凄く大きな隔たりがある可能性が高いことがわかるでしょう。スマートフォンまでは予想された未来でした。しかし、その後はどうなっていくのでしょうか？
まず、メディアとしてのコンピュータの進化は、スマートフォンの登場でサイズ的に一定の終焉を迎えるでしょう。実際、Apple Watch などのウェアラブルのデバイスを使ってみるとわかりますが、やはり腕時計サイズのディスプレイは非常に見づらく、映像メディアのアナロジーであのサイズのコンピュータを捉えることの限界を感じます。

その一方で、ここに来て「実世界指向インターフェース」[引用7]という研究分野の成果が、実用化に向けて大きく花開いています。

この「実世界指向インターフェース」は、まさにマーク・ワイザーの提唱したカーム・テクノロジーを実現していく研究分野です。それは「魔法」のようにメディアを意識することなく、コンピュータを扱うための研究を進めています。

これは１９９０年代から盛んになってきたジャンルで、例えば直感的な入力で物体を操作したり、環境に溶け込むディスプレイを作ったり、あるいはインターネットに接続された小さな情報機器と人間との関わりを探求したり……というように、コンピュータの中の情報と現実世界との差異を小さくする方向での研究が多いのが特徴です。

実は、コンピュータ科学の研究者としての僕は、この分野の専門家です。

僕は自分の研究を説明する際に、「象徴的機械」という発想からいかに脱却するかが大事だという話をいつもしています。

この「象徴的機械」という言葉は、僕の造語なのですが、いわば時代を象徴するようなデバイスのことだと考えてください。20世紀の僕たちは、今はパソコンの時代、これからはスマートフォンの時代……という語り方でコンピュータ製品の動向を語ってきました。しかし、その延長線上で、スマートフォンの次にも「象徴的機械」がやってくると考えるのは、先にも書いたようにDynabookの実装としてのコンピュータの発展がスマートフォンで打ち止めになる以上、あまり期待できません。

しかしながら一方で、例えば高度経済成長期に普及した家電の「三種の神器」のように、エレクトロニクス分野において今後、画期的な製品が登場するといった考え方も、最近のメイカーズムーブメントやIoTに期待する人たちの中にはあるようです。しかし、僕の考えではこうした予想もやはり今の時代を捉えそこねています。

スマートフォンを使って何をするかを考えても仕方ないのです。それよりも重要なのは、コンピュータとはいかなるものかという本質を考えて、私たちの身の回りの生活や体験がそれによってどう変革されるのかを思考することです。

なぜならば、実世界指向インターフェースを突き詰めた暁には、そもそもマーク・ワイザーがカーム・テクノロジーで提唱したような「非メディアコンシャス」の状態になるはずであって、デバイスがユーザーに意識されている時点で徹底が足りないのです。モノからコトへどう転換するかが重要です。

しかし、過去40年のコンピュータ史は、暫定Dynabookのような「象徴的機械」を追い求めてきたため、この「象徴的機械」そのものが不要になる（非メディアコンシャス）という発想そのものが理解しづらいのです。

ところで、アラン・ケイがAltoを生み出した40年前よりさらに遡ると、コンピュータ科学の歴史には全く違う光景が展開されています。そして、当時の文献を手に取って、よく目を凝らしてみると、コンピュータ史におけるさらに巨大な偉人であり、この「魔法の世紀」の源流となる一人の人物の姿が見えてくるのです。

写真4 — アイバン・サザランド

それは、アラン・ケイの研究グループのボスだったアイバン・サザランド［写真4］です。一般には、バーチャルリアリティやディスプレイ、コンピュータグラフィクス装置の祖とされていて、むしろケイの考えたAltoのような、メディア装置としてのコンピュータの源流にある人物と見られているかもしれません。しかし、サザランドは1965年に著した「The Ultimate Display」[引用8]という論文で、大きなビジョンを書いています。

「究極のディスプレイは、コンピュータが物体の存在をコントロールできる部屋になる。椅子が表示されれば座れるし、手錠を表示すれば誰かの自由を奪い、弾丸を表示すれば命を奪う。適切なプログラミングを用いれば、そのようなディスプレイは文字通りアリスが歩いたような不思議の国を実現するだろう」

ここで言うディスプレイが、現代の我々が考えているようなものではないことに注意してください。サザランドはより広い意味で、ディスプレイを物理空間のあり方として捉えています。彼がこの言葉を書き記した時代、実はディスプレイに対して我々が抱いている――なんとなく四角い映像装置で、他の情報を提示するための象徴的機械――というような固定観念は存在しなかったのです。四角いディスプレイというものも象徴的機械にすぎません。

面白いのは、この論文の原著でサザランドは〝Mathematical（数学上の）〟という言葉を多用しているのですが、それが現代で言うところの〝Computational（コンピュータによる）〟という言葉に、そのまま置き換えられることです。サザランドにはコンピュータの形容詞的用法が登場する前に、コンピュータが普及した世界のビジョンが見えていたのかもしれません。

サザランドが考えたバーチャルリアリティも、単に仮想世界を覗くことではありませんでした。彼はバーチャルリアリティを、現実と見分けのつかない何かを作ることだと構想したのです。それはむしろ、現実自体を物理的にハックし、現実を上書きしていくような、情報だけでなく物象化も目指すものだと言えます。

そして僕の考える「魔法の世紀」の発想は、このビジョンを実現するものです。今こそ僕たちは、彼の立っていた場所まで戻ってみるべきだと考えています。

では、そもそもサザランドはコンピュータを、一体どういうものだと考えていたのでしょうか。「映像の世紀」の象徴であるマルチメディア、それと計算機の関係性をひもといていこうと思います。

早すぎた魔法使いと世界を変えた４人の弟子

アイバン・サザランドは１９３８年に生まれて、１９６３年にマサチューセッツ工科大学（MIT）で博士号を取得しています。彼の博士課程指導教官は、あのクロード・シャノンでした。

シャノンとは、標本化定理や暗号理論、情報理論、デジタル回路の研究などで世界一有名な情報学者です。彼が修士論文として著した「継電器及び開閉回路の記号的解析」[引用9]は「20世紀に最も重要で有名な修士論文」と評されるほどのもので、電気回路のスイッチングをブール代数の論理式に対応づけることで、現代のデジタル回路をなす「デジタル論理回路」の基礎を築きました。サザランドは、現代の「情報」という概念を作り上げた人物から、直接指導を受けているのです。

では、そんなクロード・シャノンの弟子であるアイバン・サザランドは、どんな人物だったのでしょうか。シャノンがコンピュータの数学的記述法や通信・暗号の基礎を作った人物なら、さしずめサザランドは人間とコンピュータが関わる対話的基礎を築いていった人物だと言えるでしょう。

アイバン・サザランドの初期の業績において重要なものは、コンピュータグラフィクス分野とバーチャルリアリティ分野の開拓です。

彼がコンピュータグラフィクス分野を生み出したのは1963年のことです。まだメインフレームが当時のコンピューティングの中心だった頃、アイバン・サザランドは世界初のインタラクティブコンピュータグラフィクスシステムであるSketchpad[引用10]［写真5］を、MITのメインフレーム（TX-2）の上で実装し、1963年に博士号を授与されました。

SketchpadはCAD[注4]の前身のようなシステムで、タブレットで直接絵を描くことの

注4　Computer Aided Designの略称。コンピュータを用いた設計システムを指し、建築や半導体など各々の分野に応じたCADが存在している。

注5　ACMチューリング賞の略称。計算機科学分野で革新的な功績を残した人物に年に1度、コンピュータ科学の国際学会ACMから贈られる賞。この分野では世界最高の権威を持つ賞とされる。

注6　スティーブン・A・クーンズ賞の略称。世界的なコンピュータグラフィックスのカンファレンスSIGGRAPHが2年に1度、授与する。

注7　科学や文明の発展、また人類の精神的深化・高揚に著しく貢献した人々の功績を讃える国際賞。毎年、先端技術部門、基礎科学部門、思想・芸術部門の各部門に1賞、計3賞が贈られる。

注8　ヘッドマウントディスプレイ（Head Mounted Display）の略称。頭部に装着するディスプレイ装置。

できるドローイングソフト、今でいうIllustratorのようなものです。その斬新性は、50年後の今から見ても明らかです。この功績により、アイバン・サザランドは後にチューリング賞[注5]、クーンズ賞[注6]、京都賞[注7]などを受賞します。

続いて、アイバン・サザランドはバーチャルリアリティの礎を築き始めます。ハーバードの教官を務めていた1968年、彼は指導学生であったボブ・スプロウルとともに「The Sword of Damocles」[引用11][写真6]という装置を開発したのでした。これが、現在のOculus Riftまで続くHMD[注8]の、世界初となる装置です。

アイバン・サザランドの教鞭の変遷は、バーチャルリアリティとコンピュータヒューマンインタラクションの歴史の足跡そのものです。

ボブ・スプロウルはカーネギーメロン大学で教鞭をとった後、サザランドとともにコンサルティングファー

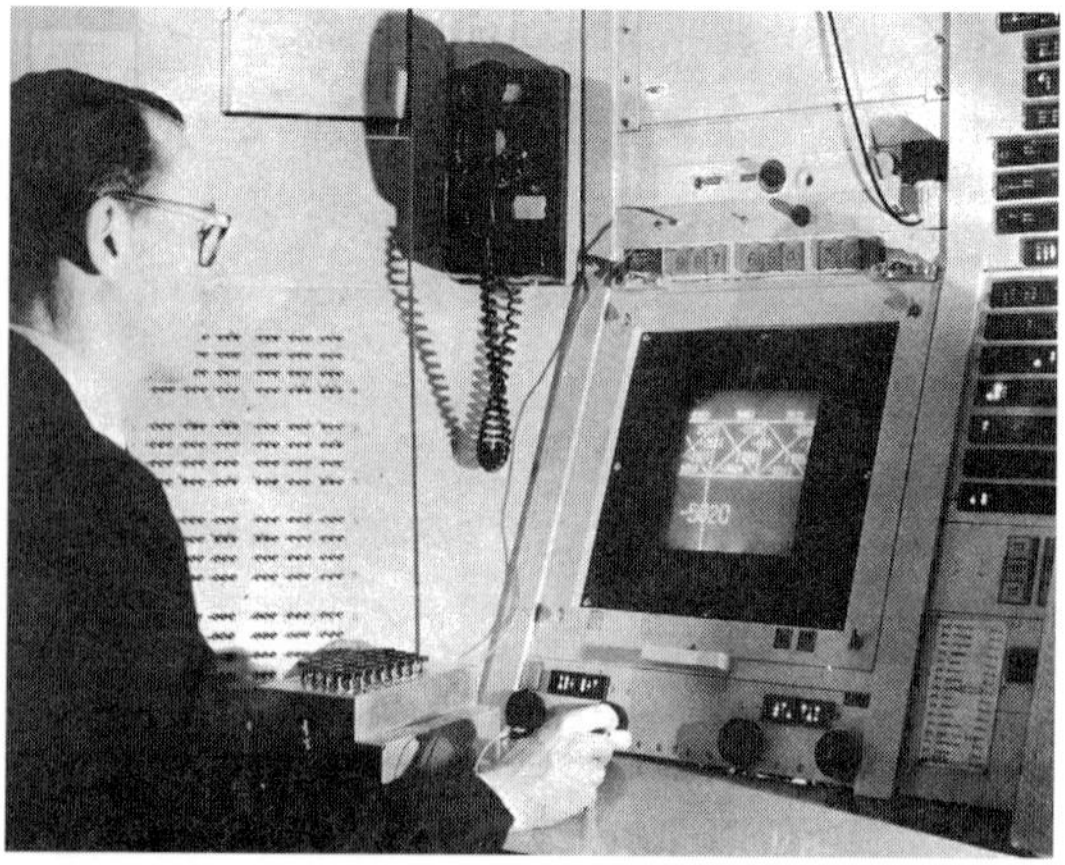

写真5 — Sketchpad

ムを起業しました。それがサン・マイクロシステムズに買収されて、後のサン・マイクロシステムズ研究所の母体となります。ここから生まれたプログラミング言語やユーザビリティ研究が、やがて１９９０年代のUNIXブームやその後のインターネットユーザビリティの立役者となったのでした。

彼の弟子で輝かしい業績を残した人物は、スプロウルだけではありません。それどころか後のマルチメディアにおけるコンピュータアプリケーション分野のキーマンの相当数が、サザランドのラボラトリーの卒業生やグループの元メンバーなのです。「映像の世紀」におけるコンピュータの在り方はまさに彼に立脚しています。

１９６８年になると、サザランドはユタ大学に移ります。このユタ大学は当時、コンピュータグラフィクス分野で非常に有名な大学でした。マーティン・ニューエルがモデリングした「ユタ・ティーポット」は、今でも使用されているリファレンスオブジェクトで、当時における「Unityちゃん」や「初音ミク」のような、３D表示のサンプルとして広く利用されていたオブジェクトです。現在でも、このオブジェクトにはユタ大学の名前が残されています。

さて、ユタ大学に移ったサザランドは、コンピュータグラフィクスの研究をしながら、多くの博士号取得学生や共同研究者を育てました。ここでの彼の教え子たちがコンピューティングのアプリケーション分野を切り開いていくことになります。その筆頭が、先ほども登場してきたアラン・ケイです。

ここまでの話からもわかるように、アイバン・サザランドの系譜をなぞることで「映像の世紀とコンピュータの関わり」そして「魔法の世紀」の基礎概念が読み解けてしまうほどに、サザランドは巨大な人物です。

「魔法の世紀」という視点でサザランドが重要なのは、「創造性」や「リアリティ」のような、いかにも人間的な領域とされてきたテーマを、コンピュータの補助によって巧妙に扱えるようにして、現実に解ける問題として捉えたことです。サザランドは、人間の価値観をアップデートしうる技術がコンピュータによって可能になることを示した、最初の人物だと解釈できます。

おそらくサザランドには、適切なプログラミングを用いて「魔法を実現する」だけの自由な発想力があったの

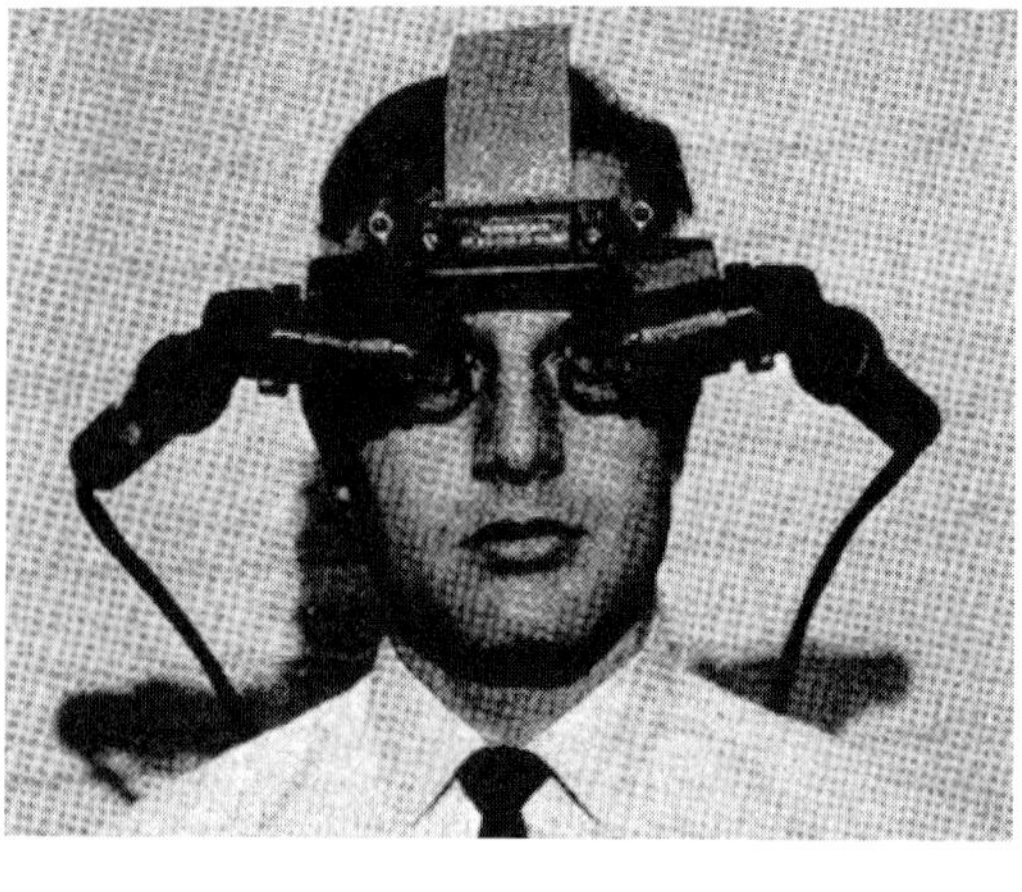

写真6 —The Sword of Damocles

だと思います。事実、サザランドの「究極のディスプレイ」に関する思想は、現在のバーチャルリアリティの手法や、２次元画面のディスプレイに縛られたものではありません。それは、究極的には物体の存在そのものをコントロールできる部屋を生み出すという壮大な思想にまで繋がっていました。

その意味で、彼の考え方は、バネーバー・ブッシュ[注9]が「Memex」[引用12]によって語ったような、人間の知性をアップデートする道具としてのコンピュータをどう実現するかにあったと言えるでしょう。

しかし、アイバン・サザランドはアラン・ケイやダグラス・エンゲルバート[注10]のように、コンピュータ史の中でよく知られている人物ではありません。というのも、実は１９７５年を最後に、彼はコンピュータグラフィクスやインタラクティブなアプリケーションエリアの研究から離れてしまったのです。そして不思議なことに、当時の

注9　バネーバー・ブッシュ（Vannevar Bush １８９０－１９７４）。１９３０年代に情報検索システム「Memex」を提唱。ハイパーテキストの構想に影響を与えた。ＭＩＴ教授時代の教え子に、クロード・シャノンがいる。

注10　ダグラス・エンゲルバート（Douglas Carl Engelbart １９２５－２０１３）。Memexの構想に影響を受けて、初期のコンピュータ開発に携わる。マンマシンインターフェイス分野で、後のパーソナルコンピュータの先駆けとなる機能を開発。マウスの発明者として有名。

ことについて語る機会が減っていきました。

僕の知る限りで、サザランドがこの話題に触れたのは、まさに当時のコンピュータグラフィクスアプリケーションの業績で受賞した京都賞の講演の際だけです。

その講演によれば、１９７５年にサザランドは隠面処理のアルゴリズムに関するサーベイ論文を出版した際に、「隠面処理のアルゴリズムは一見違うアルゴリズムであっても、同種のソーティングの問題でしかない」と気づいてしまったのだそうです。サザランドは「それがグラフィクスにかける自分の熱が消えていった瞬間だった」と語っています。

しかし、そもそも彼が想像したようなインタラクティブシステムは、当時のコンピュータにとってはあまりに壮大過ぎるものでした。処理能力も足りず、それを実現するハードウェアもアルゴリズムも見えておらず、そしてマーケットのサイズも明らかではありませんでした。

写真7 — ジェームズ・クラーク

写真8 — アラン・ケイ

彼の自由な知性と想像力は、コンピュータが20世紀の環境で実現できる範囲を大きく飛び越えてしまっていたのだと考えられます。

1975年以降、アイバン・サザランドの研究テーマは分散システムに移っていきました。そしてこの早すぎた魔法使いは、ユーザーインターフェースにまつわる研究から姿を消したのです。

しかし、サザランドが撒いた種は、その後のコンピュータ史で大きく芽吹きました。

とりわけ、当時のユタ大学でサザランドが指導に関わった学生たちからは、アプリケーションユースの歴史に名を残した人々が何人も登場しました。

その中でも、Netscape創始者のジェームズ・クラーク［写真7］、〝パソコンの父〟アラン・ケイ［写真8］、Adobe創業者ジョン・ワーノック［写真9］、Pixar創業者エド・キャットムル［写真10］の4人は代表格と言え

写真9 — ジョン・ワーノック

写真10 — エド・キャットムル

るでしょう。コンピュータに詳しい人であれば、この4人が業務アプリケーションからアニメーション映画のCGまで、各分野において巨大な業績を残した人物であることにすぐに気づくはずです。

アイバン・サザランドがユタ大学で教鞭をとっていたあの時代に、きら星のごとき才能の若者たちが同じ場所で同じ時間を共有していた。それはまるで、漫画史における「トキワ荘」のようなものです。後のコンピューティングの歴史を切り開く1ページが、あの時代のユタ大学の一角に存在していたのです。

まず、ジェームズ・クラークは、大学でのコンピュータ研究の後にシリコングラフィクスを起業し、さらにはネットスケープコミュニケーションズを立ち上げた人物です。

第一次バーチャルリアリティブームや、黎明期のハリウッドのコンピュータグラフィクスソフトウェアのほとんどは、実はシリコングラフィクスのワークステーション上で動いていました。コンピュータグラフィクス計算に特化したワークステーションを数多く輩出することで、シリコングラフィクスは一時代を築きました。また、その上場益でジェームズ・クラークは巨万の富を築きます。

しかし、クラークの業績はそれに留まりませんでした。CERN[注11]で、1989年から

1990年にかけて、ティム・バーナーズ＝リーがWWW（WorldWideWeb）のプロジェクトを開始すると、1994年にクラークはモザイクコミュニケーションズを創業します。この会社が開発したNetscapeは、皆さんもよく知るネットブラウザの先駆けで、WWWへ簡単にアクセスできるサービスでした。

このようにクラークの業績は、インタラクティブグラフィクスや映画のテクノロジー基盤の提供、さらにはインターネットの普及にまでわたる実に幅広いものです。創業した企業を3社も上場させた彼の存在は、社会にコンピュータグラフィクスやインタラクティブアプリケーションの技術が普及していく過程において、大きな原動力の一つであったことは確かです。

アラン・ケイについても、もう一度しっかり紹介しておきましょう。

ユタ大学でアイバン・サザランドの影響を受けた後、アラン・ケイはパロアルト研究所の研究員時代に、GUIのコンピュータ（Alto）や、オブジェクト指向言語（Smalltalk）など、現在のコンピュータに極めて近いコンポーネントのシステムを次々と発

注11　欧州原子核研究機構。スイスの素粒子物理学研究所。HTMLやHTTPプロトコル、WorldWideWebは、ここの技術者のティム・バーナーズ＝リーが、文献の検索や利用のために考案した。

明しました。そして、今や彼のDynabook構想はタブレットやスマートフォンへと受け継がれています。ユーザーインターフェースという観点で、現在のコンピュータを作ったのは彼であると言っても過言ではありません。

そして現在、私たちはノートパソコンやスマートフォンなしに生活することは考えられません。彼のマルチメディア化するコンピュータという構想は、やがて半導体におけるムーアの法則と結びついて、安価なコンピュータが世界中にバラ撒かれる社会を可能にしました。コンピュータが日常に溢れかえる「魔法の世紀」の成立条件は、このアラン・ケイが用意したと言っても過言ではないでしょう。

ジョン・ワーノックについては、他の3人に比べると知名度は低いでしょう。しかし、皆さんの最も身近なところで活躍している人物です。というのも、彼はプリンタの印刷で使われるページ記述言語PostScriptの発明者であり、あのIllustrator、Photoshop、PDFリーダー、Flashなどの製品を生み出している、Adobeの創業者なのです。彼の製品はソフトウェア的な面からデジタル世界でのクリエイションをしっかりと支えています。私たちの周囲の製品で、彼の恩恵を受けていないものを探す方が難しいかもしれません。

ちなみに、彼が学生時代にサザランドのもとで行っていた研究は、隠面処理のアルゴリズムでした。このCG分野の研究の知見がAdobeの数々のソフトに活かされているのは言うまでもありません。

Adobeのソフトウェアの数々は、ディスプレイ内における視覚イメージの操作可能性を飛躍的に上昇させました。今では写真をリアルに加工するのはもちろんのこと、ゼロから写真と見紛うような画像を描くことさえも、そう難しいことではなくなりました。描画ソフトの歴史はまだほんの短いものですが、私たちはディスプレイの中に描かれたイメージに何が起ころうとも、もはや驚かなくなりつつあります。

そして、最後の一人が、エド・キャットムルです。彼はサザランドのもとで、様々なモデリングの研究をしていました。スプライン曲線の生成手法を主に手がけていて、Catmull-Clark曲面にその名前を残しています（ちなみに後ろのClarkの由来は、最初に出てきたジェームズ・クラークです）。

その後、エド・キャットムルはルーカスフィルムでコンピュータグラフィクスチームを立ち上げ、そのチームごと独立してPixarを創業しました。

現在でも、キャットムルはPixarの社長を務めています。コンピュータグラフィクスを使ったコンテンツのクリエイションで最先端を行く人物です。彼の存在は古典的な「映像の世紀」および「魔法の世紀」を語る上で欠かせません。

現在、彼の開発したスプライン曲線の生成手法は、3DCGにおけるモデリングの基本的な手法となっています。それは、Pixarのグラフィクス表現でお馴染みの愛らしいイメージを、ディスプレイ上に活き活きと再現することを可能にしました。

コンピュータグラフィクスの登場によって、我々はあるはずのない存在を計算によって自由に画面の中に描き出せるようになりました。それまで人類が想像してきたイメージは、最もエッジが効いたものですら、人間が悪魔と戦う絵やキュビズム、シュールレアリズム等、手作業と思考の反復で到達可能な表現にすぎませんでした。しかし、コンピュータグラフィクスの登場以降、それを遥かに超越したわけのわからないフォルムを、高精細かつリアルに表現できるようになりました。『ジュラシック・パーク』の恐竜や、『ターミネーター2』の液体金属人間に匹敵する生々しいイメージと具体的なフォルムが、20世紀より前の人類の歴史にどれほどあったのでしょうか。人間の認識に関わる凄まじい変化が、前世紀末から起きているのです。

今後は、3Dプリンタを始めとして、ディスプレイの中のオブジェクトをリアルの物体へと変換する装置が発達し、CGで蓄積されたイメージは非常に重要な資源になるはずです。これもまた「魔法の世紀」の成立条件を準備するものであると言えるでしょう。

この4人の業績を知るだけでも、現在のデジタル世界の数多くのものが、この時代のユタ大学から芽吹いたものだとわかります。サザランドが手放した研究テーマを引き継いだ彼の弟子たちは、バーチャルリアリティブーム、ネットブラウザ、タブレットやGUI、オブジェクト指向言語の原型、CAD／CAMソフト、印刷出版、ハリウッド映画などを生み出し、やがてコンピュータ産業の花形を切り開く中心的人物となり、社会を大きく変革したのでした。

例えば、皆さんが映画館やテレビで観ているCGを用いたSF映画やアニメは、この4人が大きく関わって生まれたコンピュータ文化の産物です。

ジェームズ・クラークのシリコングラフィックスは、バーチャルリアリティを実現する高性能のコンピュータをリリースしました。そのレンダリングハードウェアを使うことで、エド・キャットムルのPixarからはレンダーマンというソフトウェアや専門の職業が生まれました。

コンピュータを用いて絵を描こうとすれば、CADやお絵描きソフトが必要になります。それを提供したのが、ジョン・ワーノックのAdobeです。今やそれらはタブレット上でGUIでも直感的に操作され、オブジェクト言語を用いて簡単にプログラミングされます。それは、アラン・ケイが生み出した世界です。

もちろん、そうした作品がUNIX環境のサーバーシステムで公開されて、WWWを通じてウェブブラウザから見られるのは言うまでもないでしょう。

驚くべきことに、このシナリオの全ての箇所に、サザランドの4人の教え子が関わっています。今の我々の生活のコンピューティングに関わる全てに、サザランドの思想は実装されているのです。

それと同時に、この4人の弟子がことごとくメディア化されたコンピュータの利用シーンに携わっていることに注目してください。サザランドの4人の弟子たちが行ったこと――それは、サザランドの「魔法」の思想と20世紀を支配していた「映像」の思想との間をマルチメディアコンピュータという形で取り持つことでした。

しかし、今やコンピュータマーケットは成熟し、投資マネーもインフラも潤沢になりました。その中でメイカーズと言われるようなものづくりのムーブメントも台頭してきました。専門家ならずとも、市場にあるパーツの組み合わせでプロダクトを作れるようになり、プリンティングテクノロジーによって物質は動的に組み替わるようになりました。個々人の欲求に応じた製品を作ることも可能になりつつあります。ソフト・ハードを問わず、コンピュータに付随するあらゆる「ものづくり」がフリーアクセスになり、民主化してきたのです。

その背景にあるのは、何よりもまずアラン・ケイやジェームズ・クラークが普及させたコンピュータ文化です。あまりにも時代の先を行きすぎたサザランドの思想を、「映像の世紀」にアジャストして、世界中にコンピュータを溢れさせたのは彼らに他なりません。そして、その上に描かれるイメージを生み出す礎を作ったのは、エド・キャットムルであり、ジョン・ワーノックです。彼らが描き出すことを可能にしたイメージは、今や3Dプリンタを始めとする物質化のテクノロジーの発展で、ディスプレイの外側へと染み出してこようとしています。

サザランドが夢見ながらも、彼の時代には不可能だったコンピュータによる「魔法」のような環境、言うなれば「非メディアコンシャス環境」の誕生という可能性は、20世紀という「映像の世紀」と格闘しながら実装にこぎつけた弟子たちの手で、ついにその準備が整い始めているのです。

ユビキタスコンピューティングへの回帰

僕の研究分野である「実世界指向インターフェース」の分野は21世紀に入り、そのあり方を急速に変えています。90年代までは、この分野では人間が何かをするためのハードウェアデバイスを中心に研究が進められていたのが、最近は人間の能力や体感、あるいは情報それ自体の表現をいかに行うかという考え方に大きく舵を切り始めているのです。モノの時代からコトの時代、空間と能力への興味が加速しています。

その結果、21世紀の「実世界指向インターフェース」には、情報が我々の前に現れる際に、何か特権的な装置が必要であるとは考えないようになりました。例えば、僕が発表した『Pixie Dust』［写真11］［写真12］という装置は、物体が空中に浮いて、高速で動いて絵を描いたり、群体の形を変えたりすることで人間に情報を伝えるものです。

これを見た人は多くの場合、まず「モノが空中に浮くのは凄い」という感想を述べます。もう少し勘の良い人は、「時間に応じて形が変わるような、3次元のメディア表現が可能になりますね」と言ってくれます。実際、情報空間に何かを表現しようとしたとき、これまではせいぜい2次元のディスプレイでしか表現できませんでしたが、この『Pixie Dust』は物理空間における表現力をより大きく高めます。

しかし、僕がこの研究で本当に目指したのは、そういった動いて形が変わるような「新しいディスプレイ」の発明ではありません。それでは「象徴的機械」の発想の域を出ていません。

むしろ僕が目指しているのは、情報ハードウェアとしての「ディスプレイ」をその都度、動的に形成しうる環境の研究です。別に平面の表現にこだわっているわけではありません。つまりは、そのときどきに応じた視覚メディアを生成してくれるようなアーキテクチャを構築したいのです。

この『Pixie Dust』には、象徴的機械が不在の時代の、情報とハードウェアの関わり方を論じるためのヒントを詰め込んでいます。この装置の大きな特徴は、モノ自体にアクチュエータをつけずに、動かしている点です。物理場をコンピュータに制御させることで、物理世界に情報を干渉させているのです。その先には、場によって物体を自在に動かせるようになり、さらには物体の組成まで変えられるようになる未来が想定できるでしょう。

そのとき、象徴的機械という考え方は本格的に消滅していくはずです。というのも、この考え方を徹底すると、そういう物質を制御する装置すらも、おそらくはデータが流れる「情報の海」から生成される存在になり、具体的な形を持たなくなっていくからです。

これは、いわば情報空間を物理空間で表現する能力が増大していく過程と言えます。

こういう情報テクノロジー動向の背景には、これらのテクノロジーによるインフラの集約化が進んだ結果、ついには物理環境を取り巻くあらゆる情報機器がインターネットに接続されていく潮流が生じたことにあります。これがいわゆる「IoT」(Internet of things)です。

IoTで重要なのは、もはやインターネットは情報機器の中にある仮想世界に留まらなくなり、さらには私たちの生きる物理空間へと波及的に広がっていくことです。

例えば、これまでインターネットとリアルの空間情報で一致していたのは、せいぜい衛星カメラで撮影された地表やGPS、あるいはGoogleストリートビュー程度でした。しかし、近年の3次元取得技術や空間認識技術は、この物理空間のあらゆるものを――デジタル機器／非デジタル機器にかかわらず――エイリアスやメタデータまで含めてインターネット空間に持たせています。おそらく最終的に想定されるのは、物理世界のモノの一つ一つが、インターネット空間の情報と対応していく未来

写真11―Pixie Dust

です。また逆にこれは全ての情報空間が物理空間に表出し新たな自然を作り出していく未来も示唆しています。情報空間が物理空間で表出し新たな自然を作り出していく未来に他なりません。

そのとき、私たちの意識のフォーカスは何らかの象徴的機械から、それを取り巻く環境全体へと発散していくでしょう。そして、その物理空間は環境インターフェースそのものとして機能することになります。これを僕は、「情報が情報世界から染み出していく」と表現しています。

これはマーク・ワイザーがカーム・テクノロジーと呼んだ世界であると同時に、アイバン・サザランドの若き日の研究が目指していたものに他なりません。

僕は、彼の言う「情報から物性をコントロールできる部屋」「究極のディスプレイ」という言葉を「物理的に干渉し人間には認識されない情報環境」という言葉に置

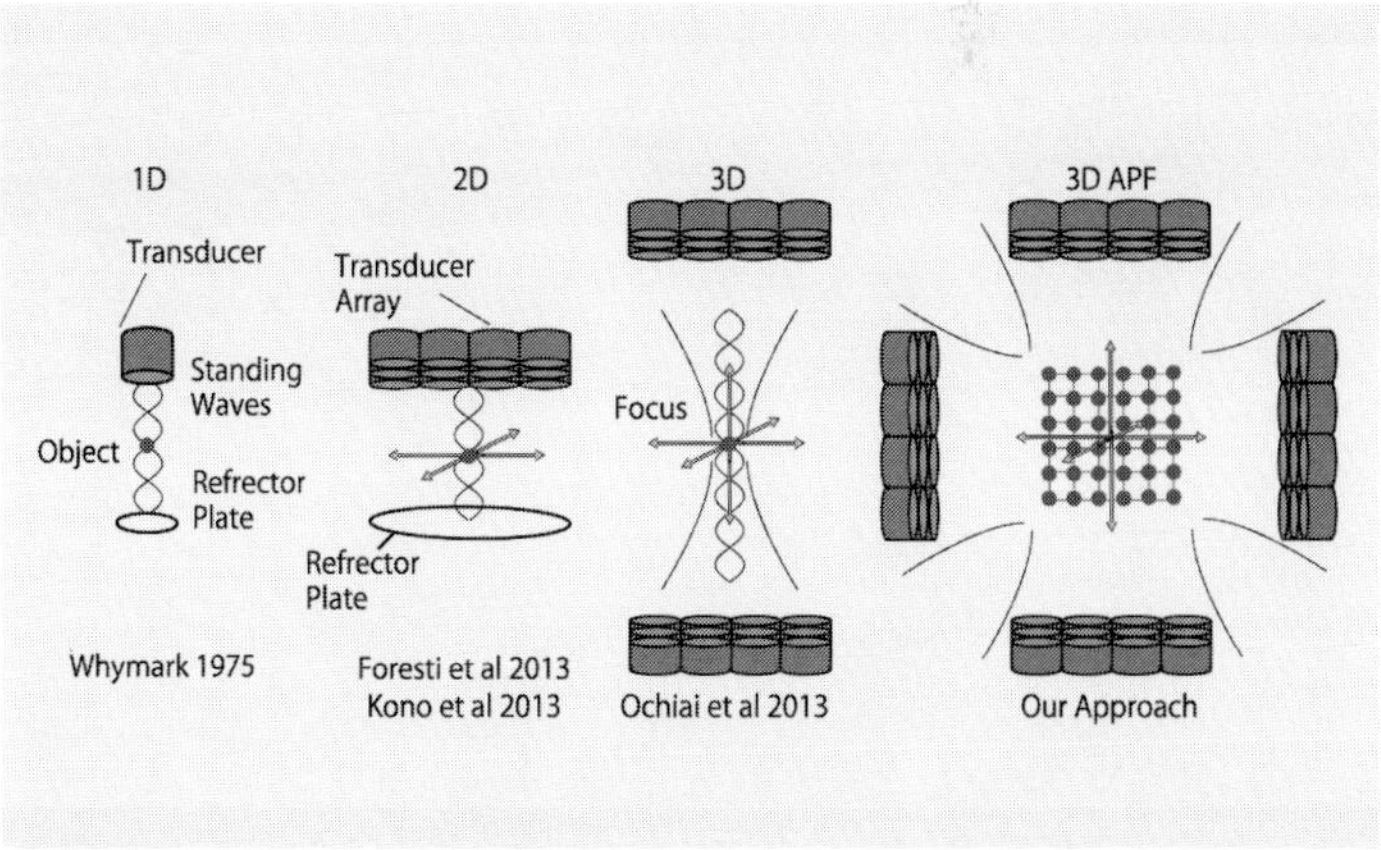

写真12 — Pixie Dust の概念図

き換えて、日々研究しています。ここにおいてこそ、象徴的機械のない時代のインタラクションが規定されうる。全体不便性の中でコミュニケーション消費していた時代から、マルチメディアコンテンツの消費時代を経て、我々が全体利便性の中でどうコミュニケーションを消費していくのか、人と機械の混じりあった社会の中でインタラクションが作り出されていくことを信じています。

第 2 章

心を動かす計算機

なぜ僕は「文脈のアート」を作るのをやめたのか

さて、前章では研究者としての僕がなぜ「魔法の世紀」という言葉を定義しなくてはならないのかを説明しました。続くこの章では、芸術家としての僕がどうして「魔法の世紀」を考えざるをえないのかについて書こうと思います。

そもそも、僕がメディアアートの世界に興味を持つきっかけになったのは、学生のときに石井裕[注12]・現MITメディアラボ教授の作品に影響を受けたのがきっかけでした。彼が開いた『タンジブルビット』[引用13]の展覧会や関連書籍、テレビ番組で語られたビジョンは、当時の僕にとって非常に新鮮な驚きがありました。

それまでの僕はパソコンを使って絵をいじったりはしていたものの、コンピュータと人間との関係性を発明し、社会にインパクトをもたらしたり、それ自体を芸術に組み入れるという発想は持っていませんでした。だから、まずメディアアートという発想が衝撃だったのですが、なによりもICC[注13]という美術館で初めて目にした石井先生の作品の存在感に圧倒されたのを覚えています。

当時のタンジブルビットの初期作品群は、今にして思えばアートの原石のようなもので、ローラーをこすると違う場所のローラーが動き、そのことによって触覚を伝え合う展示だとか、鯉が泳いでいる卓球台だとか、そんな作品が並んでいました。

　中でも忘れられないのが、ボトルに音楽を保存する『ミュージックボトル』［写真13］という作品です。これはボトルのフタを開けると中から音楽が流れ出てくるという作品なのですが、そのカラクリは上にあるスピーカーから音が出ている、音を人間の手によるマニピュレーションで操作するというものでした。まさに魔法的でおとぎ話みたいな作品です。

　石井先生の存在を知ってからというもの、僕はメディアアートに興味をもつようになりました。小学生～高校時代は作家としての活動はしておらず、音楽をやったり絵を描いたりしながら比較的普通の学生生活を送っていました。アート活動を本格的に始めたのは、筑波大学に入学してからです。実は受験の滑り止めで入学した大学でしたが、筑波大学は日本のメディアアート創成期から数々の優れたアーティストを生み

注12　NTTヒューマンインターフェース研究所、トロント大学客員助教授、MIT教授を歴任後、MITメディアラボ副所長に就任。形のない情報を直に触れるようにする「タンジブルユーザインターフェース」を提唱した。
注13　NTTインターコミュニケーション・センターの略称。日本電信電話株式会社（現NTT）が設立した美術館・博物館。

出してきたメディアアートの名門校だったのです。ここで優れた作家たちに出会えたことが、活動の一歩を踏み出すきっかけになりました。

例えば、僕が大学2年生の頃に、ポストペットやホバーボードなどの作品で有名な八谷和彦[注14]さんが講演に来たことがあります。彼は「俺はメーヴェ[注15]で空を飛ぶから、カポエイラを習い始めたんだ」という、たったの一単語も理解できないような謎の言葉を、実に楽しそうに話していました。

また、大学2、3年生のときには筑波大で行われていたクワクボリョウタ[注16]さんの特別授業のTA（ティーチングアシスタント）をやっていたこともあります。その頃に、世界的に高い評価を受けた彼の『The Tenth Sentiment／10番目の感傷（点・線・面）』の制作風景を見聞きしたり、『ニコダマ』のプロトタイプを触らせていたたいたこともあり、クワクボさんからは作品制作

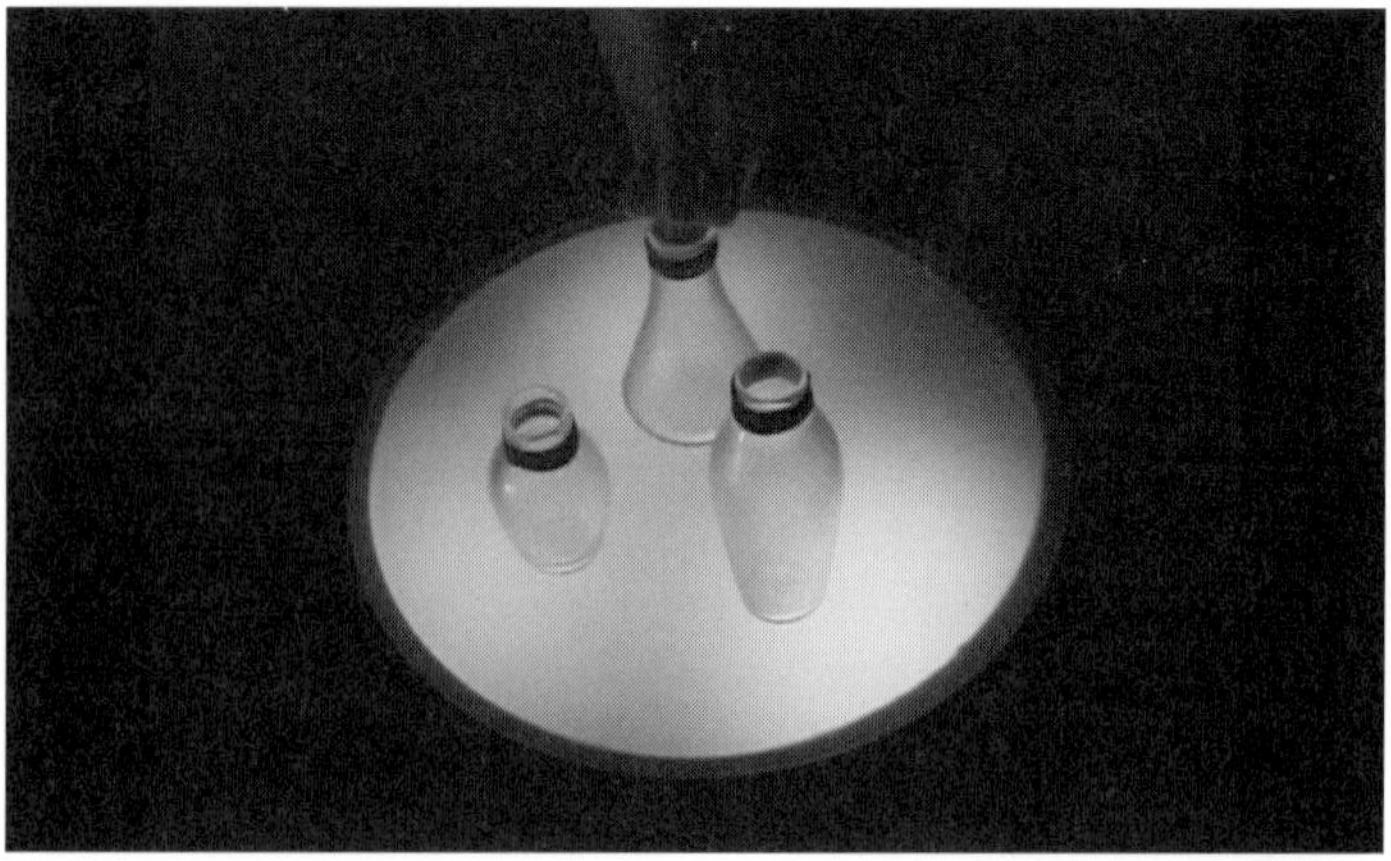

写真13―石井裕『ミュージックボトル』

の面でも大きな影響を受けています。

当時の僕は、八谷さんの明るく天才的な言動や、クワクボさんの繊細で感覚的な作風の割に妙に癒される人柄に触れて、メディアアートに強く惹かれていきました。工学部の教官たちよりも人間性は柔らかく、やっていることも楽しそうだし、何よりも明るい人たちでした。そんな彼らを見ているうちに、自分もメディアアートをやってみたいと思うようになったのです。

当時の僕は、ハマっていたファッションの分野で、得意だった理科の知識を活かして、心拍数を可視化できる服を作ったり、ＩＰＡ（情報処理推進機構）の未踏人材発掘・育成事業[注17]に選ばれて、電気が見えるデバイスを開発したりしていました。

あの当時（２００９年頃）は、これからは誰もが電子工作や３Ｄプリントでハードを作れるようになるから、そういう動きをサポートする研究がしたいと考えていた

注14　メディアアーティスト。東京藝術大学美術学部准教授。メールソフト「PostPet」の開発者として知られる。

注15　ジブリの映画『風の谷のナウシカ』に登場する飛行装置。メディアアーティストの八谷和彦氏が作中の装置を再現するプロジェクトを行っている。

注16　メディアアーティスト。エレクトロニクスを使った作品を発表。情報科学芸術大学院大学准教授。

注17　情報処理推進機構が一般の開発者（25歳未満）を支援するソフトウェア開発事業。

のですが、すぐにメイカーズムーブメントを始めとする新興産業が研究を追い越して行きました。そのとき、近場の見立てがあっという間に過去のものになる瞬間を体験したことで、ビジョンを定め長期的な活動をやっていきたいと思うようになりました。

僕がメディアアート活動の一歩を踏み出したのは２００９年ですが、その前年２００８年はApple社のiPhoneが日本に上陸した年でした。AppStoreも始まり、メディアアートやインターフェース研究などを取り巻く環境そのものが大きく変化していった時期です。

僕も当時、さっそくiPhoneを手に取ったのですが、その便利な機能を使ううちに、はたと考えこんでしまいました。こんな凄いデバイスが普及していったら、人間はコンピュータの下位の存在になってしまうのではないかという疑問が生まれたのです。例えば、プログラマーは自分の職をコンピュータに奪われるために働いているのではないかとも考えました。ライブラリーやフレームワークを整備し、開発環境を整えて行った先に、自分たちは失業していくのではないか。そう思って周囲を見渡すと、まるでコンピュータが自分たちを増殖させる意思を持って、人間にスマホを買わせているように見えてきます。そして、スマホの機能によって、逆に僕たちの方が生活を左右されているように思えてきます。コンピュータの総体が、ひとつの意思や特殊なエントロピーのような性質を持っているのではないかと考え始めたのはこの頃です。人間とコンピュータのどちらが主体なのかを。

生物学の知識がある人は、ミトコンドリアは元来独立した生物だったのに、自身を効率よく複製するために真核生物と共生を始めたという説を知っていると思います。同様に、人間も自分たちをより確実に生存させるべくコンピュータを使っているうちに、気がつけばコンピュータにとってのミトコンドリアになっていくのではないか——ふと、そう思ったのです。なかなかに受け入れ難い考えかもしれませんが，人がコンピュータのペットのようになる未来も悪くないと思ったのです。

でも、この時期の考えは、僕の初期の作品に大きな影響を与えました。詳しくは巻末の作品紹介コメントを読んでいただければわかりますが、当時の僕は人間がコンピュータのミトコンドリアになる未来を、世の人々に受け入れさせるべく人間の自己認識を問うような作品を作っていました。この考えは現在では少し変わっている面もあるのですが、その後の研究にまで繋がる大きなテーマになっています。

その後、僕は本格的にメディアアートの作品に接近していきます。当時、特に興味を持っていたのが、人の認識の解像度の問題について錯視を用いて迫った作品です。

この問題を考えるキッカケになったのは、またしてもApple社です。その頃に発表された超高精細のRetinaディスプレイが、人間の網膜では区別がつかないレベルの解像度だと話題になっていました。ところが、ちょうどその時期に、僕は『貴婦人と一角獣』［写真14］という世界最大級のタペストゥリーを見る機会がありました。その巨大な絵の前に立っているときにふと、これは全て刺繍で作られているのだから、縦糸と横糸をピクセルと解釈すれば、Retinaよりずっと解像度が高い世界最高のピクセル表現と言えるのではないかと考えていました。

人間の目の分解能と空間の本質的な解像度の対応は正確に言えばディスプレイのピクセルの細かさで判断するのは難しい（例えば星の光は解像度というよりは光子が眼球に飛び込むことによる対応関係で考えた方がわかりやすい）のですが、そんな風に解像度という言葉を拡張していくと、現実世界はある意味では無限に解像度が高

写真14 — 貴婦人と一角獣

いディスプレイであるとも考えられます。そして、この無限に解像度が高い錯覚の信号からイメージを生成できれば、それは現実と変わりがないのではないかと考えたのです、そういった現実性の再定義みたいなものを作品として作っていくことも面白いなと思っていました。

この頃に僕が作っていた作品が、ある意味では最もメディアアートの文脈としてはわかりやすいのではないかと思います。というのも僕はその後、物理空間そのものをいじることで、新しいメディア装置を作る方向に興味を向けてしまったからです。その一つの結晶が、冒頭で紹介した『Pixie Dust』や『Fairy Lights in Femtoseconds』という作品です。

最近の僕はいわゆる文脈的な作品をほとんど作っていません。代わりにメディア装置の研究ばかりしています。

これは大学の研究者とアート活動を往復する中で、あることに気づいたのが理由です。どうやらメディア装置の制作による「表現」という試みと、メディア装置の「研究」はよく似た特徴を持っている——そんなふうに思うようになったのです。

この僕の結論はあまり理解されないかもしれません。なぜ新しいメディア装置の研究がメディアアートの表現になるのか——怒る人もいそうです。この章では、まさにその問題について考えていきたいと思います。

メディアアートの歴史を考える

これまでの人類は、様々なメディア（媒体）を用いて表現を行ってきました。例えば、油絵ならば絵の具とカンバスです。この場合、描かれた絵がコンテンツで、メディアがカンバスと絵の具です。本ならば、中の文章がコンテンツで、本がメディアです。つまり、表現をするための媒体がメディアで、表現自体がコンテンツだと考えればいいでしょう。そして近代までの芸術家は、何らかの特定のメディアを使うことで表現を行ってきたのです。

それに対して、僕が活動しているメディアアートの世界は、そういう伝統を再定義しようとしてきました。20世紀半ばに誕生したメディアアートは「メディアそのもの」を創る試みを芸術表現としたのです。そして、このメディア装置を対象とした芸術であるがゆえに、メディアアーティストたちは「メディアとは何か」「何がメディアとなるのか」という問いかけをして、メディアコンシャス、メディアの性質に対して意識的であり批判的であるような視座を大事にしてきたのです。

ここからは簡単にメディアアートの歴史を辿りましょう。その起源を遡るのは難しいのですが、20世紀のメディアアートが対象にしたのが、映画やテレビなどの映像であることから、まずは映像技術の発明から話題を始めたいと思います。

1891年にエジソンが作った、穴を覗きこんで実写を見るキネトスコープという装置から映像と産業の関係がはじまり、1895年にリュミエール兄弟は壁に向けて映写するシネマトグラフという装置を発明しました。

冒頭でも述べたように、キネトスコープとシネマトグラフの大きな違いが、前者は一人が覗いて使うのに対して、後者はスクリーンに映像を投影することで、大量の人間に見せられたことです。そのため、観客から一気にお金を徴収することができたので、シネマトグラフは大きく普及します。

面白いのは、リュミエール兄弟が上映用の作品まで手がけたことです。といっても、彼らが最初に撮影したのは、工場の出口を50秒くらい撮っているだけの映像です［写真15］。その後、映像技術が普及したことによって、我々の生活や精神は大きく変わっていきました。映像技術と配信技術があれば、誰かの面白いおしゃべりや動きを撮りたいと思うし、それを遠くにいる人に伝えたくなる。マスメディアの誕生です。20世紀に映像が社会に普及していく過程で、我々の生活や精神はまるっきり変わっていったのです。

　そして、その変化に最も敏感に反応したのがメディアアーティストと呼ばれる人たちでした。

　その最も有名な人物が、「メディアアートの父」と呼ばれるナム・ジュン・パイクです。[注18]『Reclining Buddha』［写真16］という作品では、テレビの上に仏像のような彫刻が置いてあって、その下にヌードの映像が映っているのですが、この映像が色々な人種のヌードに変わっていきます。

　本来は動かない彫刻をビデオと組み合わせて、イメージと物質の間にもう一つ新しいイメージを挟み込む、メタ的なコンテクストを表現しています。こういったメディア性を維持したまま彫刻の意味合いを変化させていくような試みは、初期のメディアアートでは盛んに行われました。これはパイクの最晩年に作られたものですが、彫刻とビデオの間をとりなす、ユニークな作品だと

写真15―ルイ・リュミエール『工場の出口』

思います。

１９８０年代になると、メディアアートの分野でいくつかのプロジェクトが走り始めました。

当時ＭＩＴメディアラボで作品を作っていたマイケル・ナイマークの、顔型スクリーンにプロジェクションする『Talking Head Projection』や『Displacements』と呼ばれるシリーズは、初期のプロジェクションマッピングのアートだったと言えるでしょう。８ｍｍフィルムの映像に合わせてパンニングするプロジェクターを用いて、真っ白な部屋の現実の様々なものにプロジェクションしています。

こういった試みは後に洗練され、やがて「映像とは何か」を問うところまで行き着きます。例えば、１９９９年に作られたダニエル・ロジンの『Wooden Mirror』［写真17］という作品では、人間をカメラで撮影して前方のスクリーンに鏡のように映しているのですが、そのスクリーンは画素の部分が木材で構成されています。画素となる各々の木材が人間の形に合わせてパタパタとリアルタイムで角度を変えると、その陰

注18　ナム・ジュン・パイク（Nam June Paik １９３２－２００６）。韓国系米国人のメディアアーティスト。ビデオアートの草分け的存在となった。

影のフォルムによって、自分の姿が目の前にあることを理解できる仕組みになっているのです。実際に作品の前に立ってみると、色々なことを考えさせてくれる名作です。

日本の作品も見ておきましょう。

筑波大学の大先輩である岩井俊雄[注19]さんの『映像装置としてのピアノ』という作品では、ピアノがそのまま映像装置になり、映像装置によってピアノが奏でられています。例えばMPIxIPM（Music Plays Images, Images Play Music）［写真18］というライブでは、『戦場のメリークリスマス』を坂本龍一さんが弾くと、ピアノから映像が照射されるというインスタレーションがありました。これは、本来は音を出す装置であるピアノを使って光を作り、一方で光（映像装置）が音を奏でていくところがマルチメディアの関係性と再定義しています。

岩井俊雄さんは最初期から映像と音楽の関係性をテー

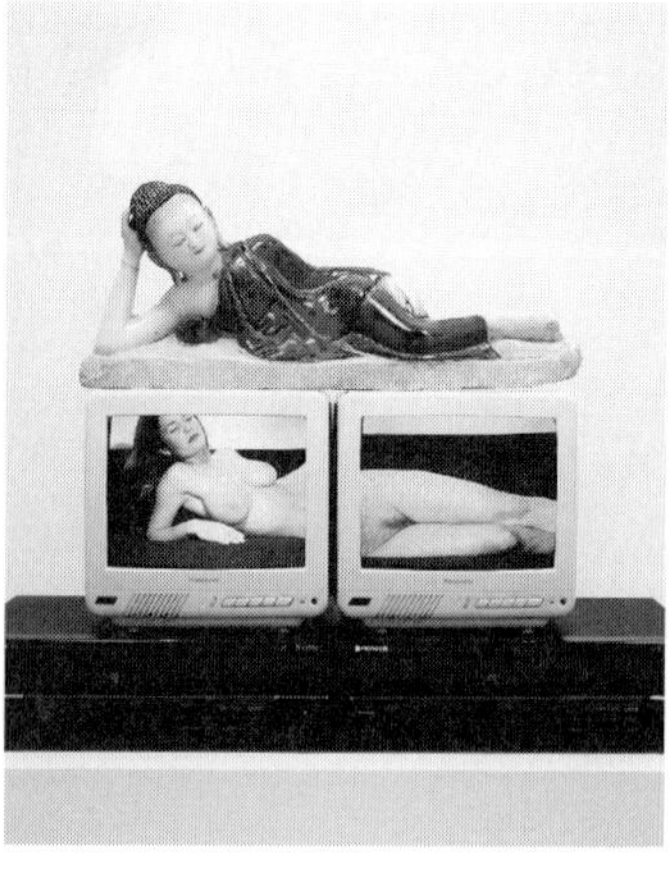

写真16 — ナム・ジュン・パイク
『Reclining Buddha』

写真17 — ダニエル・ロジン
『Wooden Mirror』

マにメディアアートを構築してきた人です。こういう風に映像と物質、空間の広がりに相互関係をどう持たせるかは、岩井さんを筆頭とした１９９０年代のメディアアーティストたちの一つのテーマでした。

ちなみに、東京藝術大学の藤幡正樹[注20]教授はメディアアートの定義を「電子技術をメディアとした表現である」「メディアに対して意識的である」「新しいメディアを作ることである」としています。まさに上の三つの事例は、この定義にピタリと当てはまるものです。

もちろん、僕自身もこういう映像メディアの批評作品をいくつか作っています。例えば、『looking glass〝time〟アリスの時間』［写真19］という作品がその一つです。「も

注19　メディアアーティスト。CGを駆使した作品制作を行い、日本のメディアアーティストの第一人者となった。『ウゴウゴルーガ』のCGシステムなども手がける。

注20　メディアアーティスト。東京藝術大学美術学部教授。

写真18―岩井俊雄『MPIxIPM』

し記録メディアがこの世界に存在しなかったら、どうやって映像を作り出すのだろう?」という問いのもと、「いま、このリアルでの場所に加えて、メディア上でも同時多発的に流れている複数の時間軸」を表現するために作品装置を組み立てました。

具体的には実物投影機の方式で、時計からレンズで変換された光学像のみを用いてアニメーションを作りました。いわば、時計というリアルの時間を象徴する装置を使って、バーチャルな時間軸をもつアニメーションを生み出す錯視を作ってみたのです。この作品は嬉しいことに好評でSIGGRAPH Art Galleryなどの海外での招待展示を受けたり、『Leonardo Journal』というメディアアートの権威ある論文誌の表紙を飾ったりすることができました。

他にも、『モナドロジー』［写真20］という作品もあります。これは、シャボン玉を「出現と消失」を可能にす

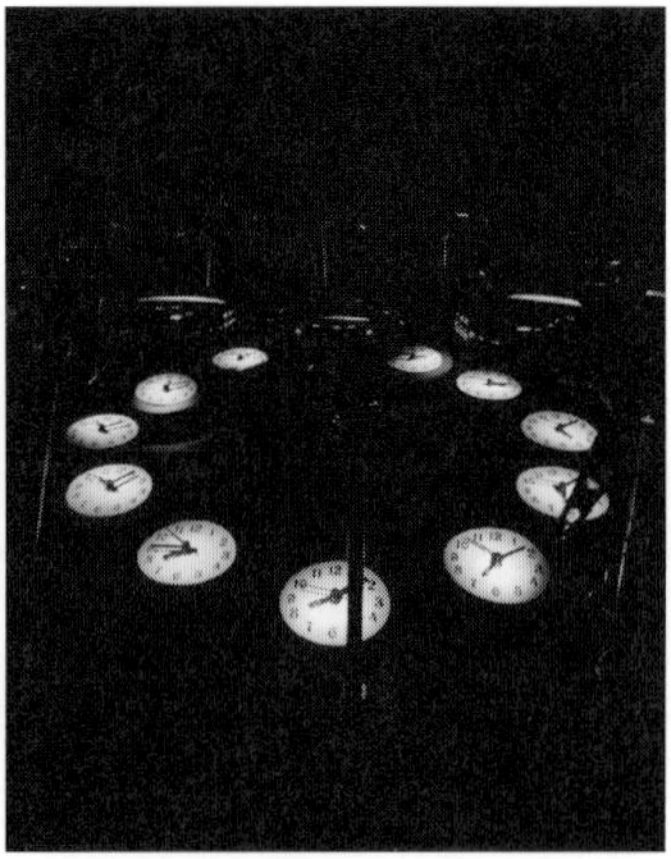

写真19 — 落合陽一
『looking glass“time”アリスの時間』

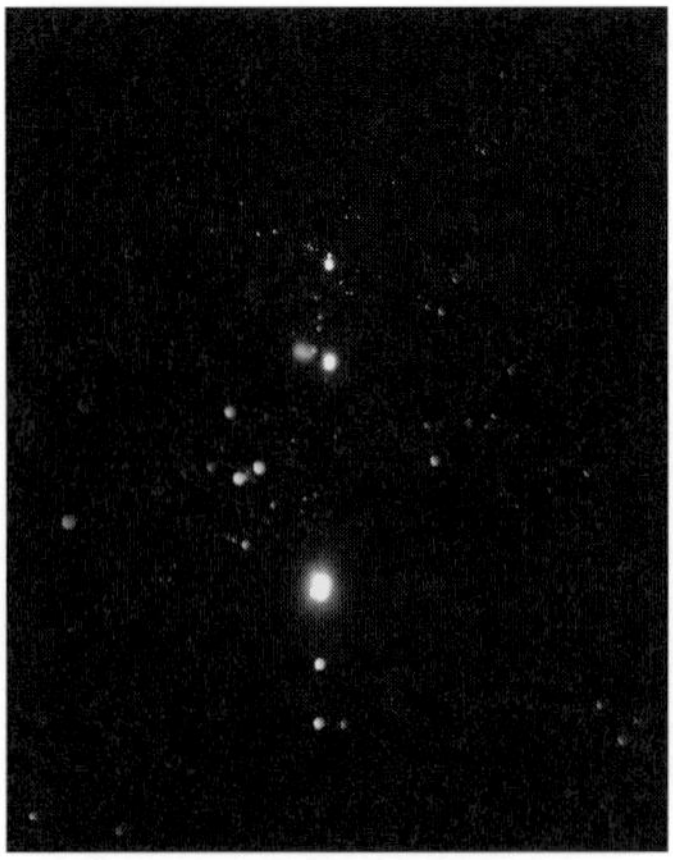

写真20 — 落合陽一『モナドロジー』

るメディア装置として捉えています。真っ暗な部屋にシャボン玉をおいて、非常に弱い点光源のストロボを人間の暗順応に対応させて、シャボン玉を一気に部屋中に放出する作品なのですが、「まるで自分が宇宙に浮いているようだ」という不思議な感想がお客さんからは返ってきました。まさに不思議な三次元のアニメーションとでもいうべき光景が展開されるのです。二次元のスクリーンに映される映像のように、通常の物質は簡単に出現したり、消失したりはできないものです。しかし、シャボン玉という壊れやすい物質には、瞬間的に生じ、また、そのもろさゆえに、映像の持つ儚さみたいなものが備わっています。そのため、僕はシャボン玉をメディア装置として使うのを好んでいます。

アートがテクノロジーと融合する

しかしながら、現状のメディアアート作品のほとんどは、岩井さんたちの世代が90年代に作った作品の域を出ていません。メディアアートは80年代から90年代にかけて、市場の拡大もあって、カンブリア紀爆発のような急速な進化を遂げました。ところが、どういうわけかその進歩は00年代以降、完全に停滞していってしまったのです。

とあるアート系のイベントで、八谷和彦さんはその状況を「メディアアートは溶けた」という表現で語っていました。彼が言うには、様々な場所にメディアアートのような表現が拡散していった結果、ジャンルとしての求心性が失われていったというのです。

その認識に正しい面はあると思います。僕の実感でも、メディアアートという言葉は近年、周囲でよく耳にするようになりました。例えば、テレビやネットでプロジェクションマッピングが特集されたり、3Dプリンタや電子工作で作ったインタラクティブ作品の呼び名としてメディアアートが使われたり、その用法も捉え方も様々な形ですが、言葉だけは広まっています。

その一方で、先に挙げたような従来の意味でのメディアアートの注目は相対的に弱まっています。

しかし、ここでいう「メディアアートらしい表現」とは、一体何だったのでしょうか。実のところ、メディアアートには二つの流れがあります。そして80年代から90年代の発展期に現代芸術の一派としてのメディアアートは、その一方に大きく偏っていきました。それは、20世紀にメディアアートを包括していたコンテンポラリーアートの潮流への接近です。

コンテンポラリーアートとはなにか――とは、なかなか難しい問いですが、当初は原理のゲームとして、長らく文脈のゲームとして成立してきた分野であるとは言えるでしょう。例えば、日本の現代アーティストに村上隆さんという人がいます。彼が世界的に評価された理由は、日本国内の芸術の文脈にしかなかった浮世絵やマンガ、アニメなどの平面性を再構成して、「スーパーフラット」という文脈を作り出したことです。

コンテンポラリーアートがわかりづらいのは、奇麗な絵を見て「傑作だ！」と思う一般人の価値観に対して、そうした「感覚を揺さぶる」たぐいの作品に必ずしも高い評価を与えないことです。

美術史の教科書には、20世紀のコンテンポラリーアートを説明する際に、必ずマルセル・デュシャンの[注21]『泉』［写真21］という作品が挙げられているはずです。男性用小便器を寝かせて置いただけのこの作品は、レディメイド（既製品）の芸術の始まりだとか、現代アートの夜明けだとかと言われています。なぜこんな作品が重要なので

注21　マルセル・デュシャン（Marcel Duchamp 1887－1968）。ダダイズムと同時期に発生したニューヨーク・ダダの中心人物。現代美術の先駆けと言われる作品を残した。

しょうか。

　その背景にあるのは、写真技術の普及によって写実的な絵のような技巧的な美しさが、必ずしも高く評価されなくなったことです。それは19世紀までの伝統的な芸術観がガラガラと崩壊していくような事態でした。その後、印象派の時代を経て、二次元の表現としての芸術は行き詰まっていきました。そのときに、マルセル・デュシャンは『泉』を通じて「これは芸術足りうるか」というまるで禅問答のような問いを作品として提出しました。この作品が与えた衝撃によって20世紀のコンテンポラリーアートは、アーティストが「芸術表現とはなんだろうか」と考える時代になっていきました。「芸術の文脈そのもの」に対する問いかけそれ自体が文脈を形成するようになる時代の幕開けです。

　ただし、その際に評価の基準となったのは、これまでの美術史の中心にあった西洋芸術史における文脈の構築

写真21―マルセル・デュシャン『泉』

です。

例えば、アメリカの芸術家にジャクソン・ポロックという人がいます。彼は「抽象表現主義」と呼ばれる手法を代表する画家で、寝かせたキャンバスの上に絵の具を撒く、しばしばアクション・ペインティングと総称される独特の技法で、モダンジャズのインプロビゼーションなどと比較されながら、ニューヨークのギャラリーを中心に高く評価されました。最近では、キャンバスに接触させずに筆を動かす「ドリッピング（ポーリング）」という技法の先駆としても、高く評価されています。

この技法をコンテンポラリーアートの視点から見ると、彼の絵画は「絵を描く」という行為そのものの刷新になっています。少なくとも、「描く」という芸術行為を、キャンバスを打ち立てて、そこに描くものだとする「文脈」に対して、彼は大きく逸脱しています。この立場からは、彼は独自の抽象絵画の世界を切り拓きながら、「文脈のゲーム」に新しいゲームを仕掛けてきた作家として評価されてきたと言えるでしょう。

こうしたポロックへの評価は、やや単純化して言ってしまうと、美しい絵によって感覚的な快楽を刺激することなどよりも、新たな文脈を構築することの方が重要であるとするかのようです。ところが、実際にポロックの絵を見てみると、見上げるほどの巨大なキャンバスに絵の具が荒々しく撒き散らされ、鬼気迫るような迫力がキャンバスに宿っています。それは、まさに「感覚的な快楽」に満ちた作品でもあるのです。

しかし、コンテンポラリーアートの視点では、彼の表現者としてのそうした側面は積極的に評価されてきたとは言えません。20世紀に誕生したメディアアートも、やはりこういうコンテンポラリーアートの一種として評価されざるを得ず、私たちが普段触れているメディアへの関わり方を反省するような、「文脈のゲーム」という観点で評価されてきた面が強くあります。当然ながら、アーティストも純粋表現のみならず文脈構築を行う方向に自分たちの作品を寄せていったともいえるでしょう。

コンテンポラリーアートの背景にある「映像の世紀」

しかし、こういう文脈のゲームに寄せた表現のあり方——すなわち「文脈のゲーム」が20世紀の美術を占めるに至ったのには、この時代に特有のメディア状況があったのを見逃してはいけません。

そもそも、デュシャンの『泉』が議論を喚起したようなアートとアートでないものの境目——つまり、アートの文脈を作っていたのは何だったのでしょうか。

例えば、コンテンポラリーアートでは中心地であるニューヨークのギャラリーが、文脈を作り出しています。彼らの周囲にいる専門家や画商のコミュニティの中で評価が形成されると、その現代アートは高い値段でやり取りされます。それが可能になるのは、現在の米国が資本主義市場の中心地であるからに他なりません。この政治的、経済的な覇権を背景にニューヨークのギャラリーを中心としたコミュニティは権威をもち、コンテンポラリーアートを牽引して来たのです。

では、さらにこの問いを突き詰めましょう。そうした制度としてのアートの権威の源泉は、何なのでしょうか。結論から言えば、それは「鑑賞可能性」であると僕は考えます。

世界中でも限られた場所にしか存在していない美術館やギャラリーといったスペースに、多くの人が鑑賞しにやってくる。その構造こそが、一部のアートが「権威あるアート」足りえる条件だった。つまり、一部の発信者の作品に膨大な注目を集める仕組みこそが権威を生じさせるのです。

そして、その構造は20世紀に発達したマスメディア技術抜きには語れません。ニューヨークのギャラリーの権威ある声は、資本主義市場の中心地であり、発信力の強いアメリカの雑誌などのメディアに乗せられて、世界中に届けられる。これによって共通の文脈が共有され、権威の声は世界全体の文脈と合致することが可能になる。それは世界中の美術館でどんな作品が展示されるかに大きく影響を与えており、「鑑賞可能性」をコントロールすることで、アートの権威はより確実なものになっていく……。こうしてコンテンポラリーアートはニューヨークを中心とし、マスメディアを通じて共有される文脈に依存し、その操作の差異を競う世界規模の「文脈のゲーム」となりました。

しかし、その過程で表現における感覚的な側面は捨象されがちです。目の前に立てば凄まじい迫力のポロックの絵画は、文脈のゲームにおいて評価されやすい言葉へと置き換えられ、あくまでも美術史における闘争としての側面が強調されてしまうのです。20世紀のアートを考えるときに、それが「代理表象」の時代に形成された価値観であったことを無視することはできません。

ところが、21世紀になるとインターネットが世界中で普及しました。インターネットでは、誰もがあらゆるものを鑑賞できます。

例えば、TwitterやFacebookなどのプラットフォームは、アーティストでも何でもない普通の人たちの手による写真や絵が膨大に流通しているプラットフォームです。民主的かつ巨大なコンテンツ鑑賞空間がネットに広がっていていて、あらゆるコンテンツ（コンテンツ的なメディア装置も含む）が、万人によって選び取られシェアされることでキュレーションを果たして、万人によって鑑賞されているのです。表現可能性とキュレーションが民主化されたと言えるでしょう。

最近ではアート畑の人間も、自作のプレゼンテーションのために動画をネット上で公開するようになりました。リアルな場でしか鑑賞できないスケール感、ディテイル、五感への表現などはあれど、創作物は時間と空間を超えて誰もが鑑賞可能になったのです。

ウェブという場所では、世界中のありとあらゆる事物が、まさに美術館に置かれた作品のように多くの人に鑑賞されます。その結果、マスメディアに乗せた文脈のコントロールで権威を保つような手法はあらゆる場所で力を失っていきました。

共通の文脈を展開するのは難しくなり、ニューヨークのギャラリーのような一部の権威者が文脈を規定することも、マスメディアがマスメディアとして機能しないために、困難になりました。興味のコミュニティは島宇宙化してバラバラになり、文脈はとてつもない数に複数化して、すでに飽和状態です。そこでは共通言語や文脈は存在しなくなり始めています。皆に受容される文脈がない時代の今、全員に受容される作品は、もはや作りにくくなってしまいました。

こうした状況の中で、アートそのものも、そしてメディアアートも既存の芸術の枠組みから変わりつつあります。

それでもなお「文脈のゲーム」を戦おうとする人もいます。面白いことに、「魔法の世紀」において世界で一番大きなカルチャーの文脈は、「文脈のゲーム」を相対化させて人々を小さな島宇宙へと閉じ込めた、当のコンピュータカルチャー（デジタルカルチャー）そのものであったりします。コンピュータへの批判それそのものは国・文化に関係なくもっとも大きなコンテクストですから。

ここで「インターネットはメディアなのか」という問いかけは、皮肉な言い方をすれば、いまや唯一の大きな文脈として機能しています。肥大化したコンピュータ文化という新たな共同文脈こそが、「文脈のゲーム」の続行を可能にしているのです。インターネット文脈とアート文脈の融合のようなこういう既存の現代アートの解釈や手法がそのまま適用できるゲームは、今後も続いていくことでしょう。

「原理のゲーム」としての芸術

それに対して二つ目の道も登場しています。それは、「原理のゲーム」としてのメディアアートの道です。「文脈のゲーム」として、20世紀の延長線上にメディアと人間についての社会的な関係を問うという文脈の中で戦うのではなくて、より「原初的な感覚」を対象とした芸術です。

実は最近、メディアアートの世界では「文脈のゲーム」というよりは、むしろ芸術の文脈を超えたところで人間に衝撃を与えるタイプの作品が増えています。

例えば、2015年のアルス・エレクトロニカ・フェスティバル[注22]のハイブリッドアート部門の最優秀作品『Plantas Autofotosintéticas』［写真22］は、世界中の水を採取してビオトープを形成するというもので、メディア論というメッセージを超えた生物的表現でした。より人間の感覚器官に即した作品としては、日本の岩田先生による5メートルのロボットに人間を括りつけて操作する作品の展示もありました。アルス・エレクトロニカでは年々、原理のゲームで勝負する感覚的な作品が増加しているようです。アルス（Ars）の言葉通り、コンピュータ〝技術〟はそのような作品の発展を促しているのでしょう。

こういう流れは、ニューヨークのギャラリーにも押し寄せています。

注22　オーストリアのリンツで開催される芸術・先端技術・文化の祭典。メディアアートの国際的なイベント。

例えば、最近話題になった『Smell Blind Date』［写真23］は、匂いしか伝わらないデートを楽しむ作品です。最先端の生理学を踏まえたもので、インパクトのある作品ですが、ここには小難しい文脈なんて必要ないし、特に語ることもありません。

あるいは、『Female Figure』［写真24］という5、6000万円くらいするマネキンが画面の前で踊っている作品も、メディアアートとしてではなく現代アートとして評価されました。ちなみに、これはハリウッドのアニマトロニクス[注23]のチームが制作しています。

このような初売の価格の高い、最新技術を使った作品が近年非常に増えています。それは、「現代芸術は今、何が可能なのか」という探求とセットになって、メディア機能を内包した作品が増えているからだと考えられます。

かつての美術は、カンバスや彫刻などのメディアの上

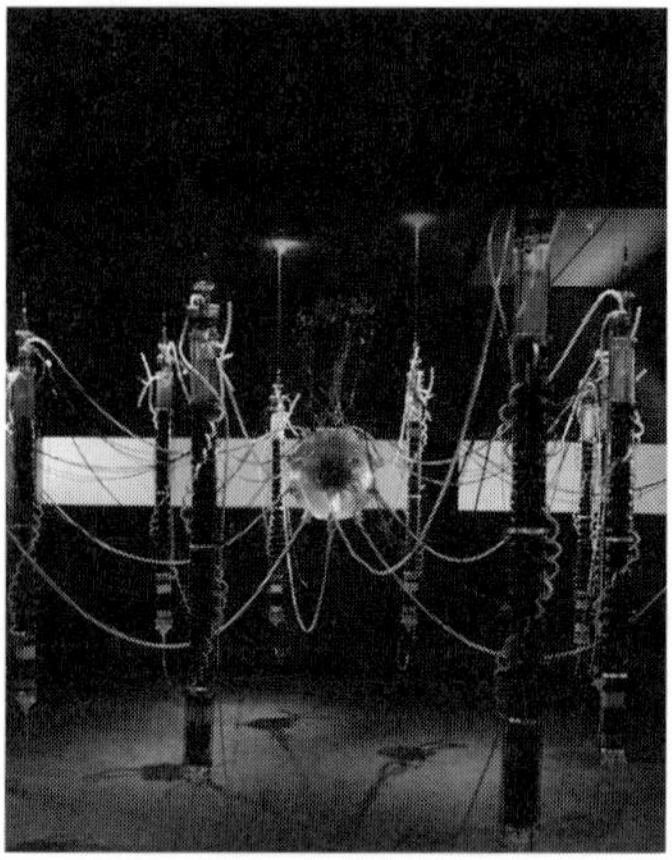

写真22—Gilberto Esparza
『Plantas Autofotosintéticas』

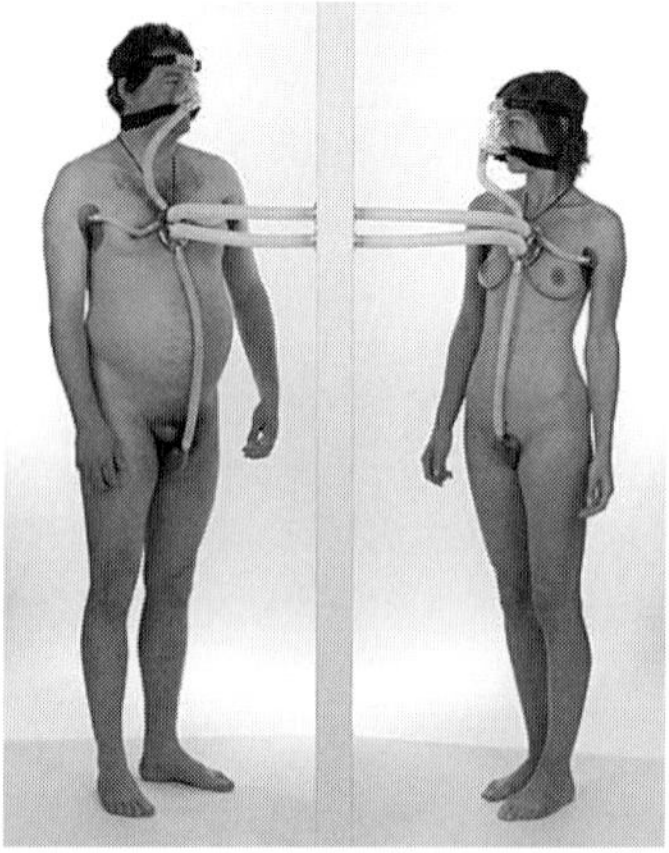

写真23—James Auger
『Smell Blind Date』

で色と形を操作する芸術でした。特にピカソが登場して伝統的な絵画の中で可能なことがやり尽くされたとき、カンディンスキーのような人は構成主義を標榜して、視覚体験の再構成を意識的に行いました。

現在ではこうした試みはやり尽くされた感がありますし、そもそも現代において色と形の平面上での複製は、何も難しいことではありません。そんなときに、色と形を載せる媒体としてのモノ自体にまでハックを仕掛けて、しかも視覚以外の効果を考慮しながら作品を作る発想が出てくるのは当然の帰結でしょう。

同時に、これはメディアアートの歴史の原初に立ち返ることでもあります。というのも、映画の初期にリュミエール兄弟が撮影した映像や、メディアアートの初期に生み出された作品は、コンテンポラリーアートの複雑な文脈のゲームとは無関係に、メディア表現そのものが生み出す感動や違和感を、直に突きつけてくる作品だったからです。この時代は、新しいメディア表現と新しいコンテンツが実質的に不可分な状態で提供されていました。

それどころか、意外に思う人もいるかもしれませんが、実はコンテンポラリーアー

注23　生物を模したロボットを使って撮影する技術のこと。ＳＦＸやテーマパークで使用される。

トの本来のあり方にさえ、この「原理のゲーム」としてのアートは近いのです。というのも、鑑賞者の受容のレベルで言えば、話題になるコンテンポラリーアートには、感覚を揺さぶる要素は常にあったからです。例えば、グッゲンハイム美術館が、アメリカから世界に進出していくことが出来た背景には、そこに文脈を超えて人を惹きつける力があったことは否定できないはずです。

とはいえ、言葉による批評が大きな力を持つコンテンポラリーアートでは、全体として「文脈のゲーム」で強いコンテキストを形成できる作品は高い評価を受けてしまいます。その影響は、やがてメディアアートの評価にも強く影響を及ぼしていきました。そうして、メディアアートの世界においても「文脈のゲーム」をプレイする作家が台頭してきました。自ら衝撃的な装置を考案してそこに新しい表現を乗せるよりは、批評的に複雑なコンテキストをいかに作品に負わせていくかが評価を分ける

写真24―Jordan Wolfson『Female Figure』

ようになったのです。

しかし、1990年代後半になって登場した、ソーシャルメディアやGoogleのような情報のプラットフォームは、私たちがローカルなコミュニティでいくらでも文脈を生み出すことを可能にしました。そういう状況では20世紀のマスメディアが構築した文脈の支配力は低下せざるを得ません。もはや「文脈のゲーム」は飽和しており、それで多くの人々を感動させるのは厳しくなっているのです。そのときに僕たちは、20世紀に弱体化していた「心を動かす技術」としての「原理のゲーム」を、再び必要とし始めたのかもしれません。

そこでは具体的に「驚きが大きいもの」や「露骨な表現」――いわば20世紀に「B級表現」と呼ばれたものが台頭していることも重要です。こうした作品が現在のアートを巡る状況と、どこか親和性が高くなっているのです。驚き、感動、恐怖、没入感――そんな感覚に直接的に訴え掛ける装置としてのアートの存在が、もはや無視できなくなり始めているのです。逆に、アニメ・漫画・ゲームなどの大衆芸術の文脈では、すでにB級表現の飽和は顕著になりつつあると感じます。

これを僕は「原理のアート」と呼びたいと思います。それは結果的に、20世紀に軽く見られてきた感覚的な快不快が、再び一種の「共通言語」として受け入れられる芸術となるでしょう。僕のアーティストとしての現場感覚で言うならば、どれだけ心を強く動かすか、どれだけ感覚に訴えかけられるかだけが勝負になり始めています。

そのときに僕がいつも考えているのは、「心を動かす計算機」は可能なのかという問いです。

少しギョッとする言い方かもしれません。でも、なぜいぶかしく思われてしまうのでしょうか。「心を動かす絵を描く」や「心を動かす映画を撮る」なら普通の印象を受けるのに、どういうわけか「心を動かす計算機を作る」には多くの人が違和感を覚えるようです。計算機という言葉と我々の感性には、どこかかけ離れている印象があるのかもしれません。また、計算機に心を動かされるということに抵抗感がある人もいるのかもしれません。

しかし、僕は何度もメディアアートと一体になった計算機テクノロジーに心を動かされてきました。僕は、何

写真25—『うなずきん』

度もコンテンツ装置（メディアアート）で泣いたことがあります。

例えば、「うなずきん」［写真25］というおもちゃがあります。ダルマのような小さな人形に話しかけると、相づちを打つように頷いてくれるのです。このおもちゃで遊ぶためには、独り言を言い続けるしかありません。そうなると、独白装置として機能する訳です。懺悔をきいてくれる自動神父さん、みたいなものです。

人間は、何を言っても肯定してくれる存在を欲する生き物です。しかし、そういう存在と出会うことは滅多にないでしょう。恋人でも夫婦でも男女に意見の相違はつきもので、完全にわかりあえる友だちですらも全てを肯定してくれることは少ない。でも、この小さな機械は全てを肯定してくれるのです。気がついたら真面目に話し込んで、なぜか機械に心を許して、そして泣き出す自分がいました。実に不思議な体験でした。

しかし、それは本当に「不思議な」ことなのでしょうか。

例えば、おもちゃを使って乳幼児をあやせば、彼らが簡単に機械に泣かされていると気付くはずです。それだけでなく、機械に笑わされたりもします。しかし、乳幼児はテレビのコンテンツを見て笑ったり泣いたりすることはめったにありません。それは、彼らが文脈やストーリーから生まれる感情で涙するのではなく、原初的な快／不快の感覚で泣くことにあります。

現代の大人たちが乳幼児のようにメディアで涙したり笑ったりできないのは、彼らの生きてきた20世紀が「映像の世紀」だったからではないでしょうか。「映像の世紀」の大きな特徴は、表現とメディアを分離させたことです。人は表現で涙したり笑ったりしますが、メディアで笑ったり泣いたりはしないと考える人は多いでしょう。

実際、映画館に入った瞬間に泣き出す人や、一眼レフを見て涙が止まらなくなった人や、本の表紙に触ると泣き出してしまう人があまりいないのは、それが「うなずきん」と違ってメディアと表現が分離されていて、メディアそのものには感動の核になる要素が入っていないからです。

しかし、コンテンツよりもメディア自体がアートとしての価値を持つ、メディアと表現の境目がどんどん曖昧になっていく時代においては、先ほどの乳幼児の例で出てきた原初的な感覚、すなわち「原理のゲーム」の方が大きく台頭してくるのではないでしょうか。

先に僕は、東京藝術大学の藤幡先生のメディアアートの3つの定義を記しましたが、僕はこれらをまとめて「先人たちのコンテクストを踏み越えたメディアの発明」というふうに理解しています。

つまり、メディアアーティストは新しい文脈を生み出すために、技術とそれを用いた表現の両方を作る必要があるのです。僕もそういうことをやっていて、だからこそ自分のことを研究者ではなく、メディアアーティストと名乗っているのです。それにはサイエンスとアートの双方の高度な知見が必要ですが、世界中のハイブリッドアーティストたちはみな口々に同じことを言うようになっています。

しかし、これは新しい状況ではありません。結局のところ、リュミエール兄弟がシネマトグラフという装置を発明して、さらに『工場の出口』というコンテンツを作ったことと何も変わってはいないのです。今アーティストは、「映像の世紀」を超える能力を求められているのです。

コラム

「メディアアート」としての「キャメロン映像」

近年のコンピュータの革命者といえば、誰もがスティーブ・ジョブズを挙げるところですが、僕は最近、映画監督のジェームズ・キャメロンの方にさらなる敬意を抱くようになりました。

確かにスティーブ・ジョブズはiPhoneやMacを世界中で売ったかもしれません。でも、ジェームズ・キャメロンは表現の世界で、『アバター』のヒットにより2700億円を稼ぎ出しました。日本のAR（オーグメンテッド・リアリティ）産業を最初から最後まで積分しても『アバター』一本に及びません。

さらに、ハリウッドの興行収入を上から数えていくと、一位が『アバター』で二位が『タイタニック』、ちょっと下の方に行くと『ターミネーター2』があります。いずれもキャメロンの作品です。

実は米国のCG業界を育てたのはハリウッドです。80年代から資金をバンバンとSIGGRAPHなどのコンピュータグラフィクスの研究分野に突っ込んで、どれだけイマジネーションを自由に表現できるか探求してきました。

ハリウッドは近い将来、コンピュータによる自由な表現が映画を革新し、さらには産業構造を変えていくことも予見して、コンピュータグラフィクスという本丸の産業を自らの資金で育てたのです。

例えば2014年に大ヒットした映画『アナと雪の女王』の雪の粉は大変にリアルでしたが、あの雪を演算したパーティクル演算技術は学会で論文（引用14）として発表されています。雪の一つ一つがどういう近接場の力でくっついて離れるか、その数式を使って計算すれば極めてリアルな雪が描ける、といった論文を5人から10人くらいの研究者が書いているのです。

ハリウッドはコンピュータで表現を行うための完全分業制が上手く機能していて、例えばプログラミング部門の中でも、コアのアルゴリズムを考える人はPh.D（博士号）を持っていたりします。絵を作る人と、絵を作るためのテクノロジーを作る人も分かれていますが、それでいながら同じスタジオに属しているため、その映画に出てくる手法は技術的にも表現的にも固有のものになるわけです。様々なプロセスに関わる人が上手く分かれていて、それが本当に美しく結合しています。

ただし、映画好きの人にはキャメロンを嫌いな人も多いでしょう。

『アバター』を観た感想として「『アラビアのロレンス』を21世紀風にしてCGで表現した映画が売れるなんて、なんて嘆かわしい」という意見を見かけました。

でも、僕に言わせれば、それは3D表現の凄まじさそのものに人間が頭を打たれた結果、もはや「文脈」に関係なく映画が売れてしまった瞬間なのです。したがって、リュミエール兄弟からメディアアートの歴史を始める僕にとっては、テクノロジーそれ自体がアート的であり、世界中の観客の頭を否応なしにぶん殴っていくかのようなキャメロンの作品は「メディアアート」そのものです。

実際、キャメロンのコンピュータへの適応能力は異常です。『ターミネーター2』も『タイタニック』も、単に荘厳なCGの感動という「原理のゲーム」の暴力で世界を席巻したわけですから。

ちなみに、そんなキャメロンと対になるのが、これまた嫌いな人が多いかもしれないディズニーです。ディズニーは、コンピュータサイエンスやイメージングのラボラトリーを合わせて6つ持っています。本気でコンピュータサイエンスにテコ入れしていて、先ほど挙げたアナ雪以外にも、iPadの上におもちゃを載せて動かすと、それに合わせて画面の風景が動くといったテクノロジーのレンダリングエンジンなどを開発していて、カリフォルニア工科大学やスタンフォード大学、あるいはスイスのチューリッヒ工科大学など、名門の理系大学の様々な場所にお金を入れています。

ディズニーの究極目標は会社のビジョンステートメントによれば「この世界に魔法を実現する」ことです。彼らは映像を押さえた後に、今度はどうやったらこの物象的世界を支配できるかを徹底的に考えています。

ディズニーランドの『ワンス・アポン・ア・タイム』というプロジェクションマッピングのショーを見たことはあるでしょうか。

彼らは花火という高輝度な閃光を打ち上げている横

で、レーザーで花火の点を描いています。花火の見えている光の下の20％くらいはレーザーの点で、人間がキラキラしていると感じる要素や、既に枯れたテクノロジーで映像が細かく出るような要素を、最高の精度で上手く組み合わせていました。

光の表現を考えたときに、液晶プロジェクターは高解像度ですが平面的で低コントラストです。レーザープロジェクターはベクターグラフィクスで平面的ですが高輝度かつ高解像度で描けます。そして花火は制御が難しく低解像度ですが、高輝度で3次元的に配置できます。これらの技術を、良いところだけをフルに活かす形でシンデレラ城に重畳しているのです。

ストーリー性のある部分は液晶で描き出され、輝度はレーザーで補われ、盛り上げるところには花火を入れてくる。大変に優れた水平展開で、専門家が見ても驚かされるし、もちろん普通の人が見てもやっぱり感動させられる。

現時点で実現可能なテクノロジーをそのまま箱に詰め込んで、多くの観客に原体験的な感動を与えている。今コンピュータテクノロジーにおいて最強のプレイヤーはディズニーです。

「この世界に魔法の王国を作る」というディズニーの考えに、僕はもちろん賛同します。コンピュータテクノロジーによってそれをどう実現していくかを、彼らは総力を挙げて本気で考えているからです。それは、GoogleやAppleよりも長いスパンの思想であり、文化的な意味でのブランディングでもある。背景には、ヨーロッパのブランド企業のような長期的ビジョンがあるのではないでしょうか。

なぜなら、コンピュータが売れ終わり、プラットフォームの拡大が成熟しきったときに、最も強くなるのがコンテンツ産業なのは明白だからです。結局、中途半端なテクノロジーよりは『アバター』の方が儲かるのです。その未来を見据えて『スター・ウォーズ』の買収も含めてコンテンツを貪欲に獲得し続けているディズニーは、本当に驚異的な存在です。

彼らはただ単にブランドビジネスを目指しているのではありません。コンテンツとその生産技術を掌握して、さらにそれをリアルに実装するところまで手がけるコングロマリットになろうとしているのです。

第　3　章

イシュードリブンの時代

プラットフォーム共有圧への抵抗

前章で僕はメディアアーティストという存在を、先人たちのコンテクストを踏み越えて、新しいメディア装置を生み出し、その行為自体を表現にしていく存在として定義しました。

しかし、21世紀の現在、そうした表現を行っていくのは非常に難しい現実があります。実際、僕の周囲で「原理のゲーム」のメディアアートを手がけている人間たちは、ハーバード大学でサイエンスを専攻していたり、生物学のラボに出入りするような、極めて優秀なエリートが多かったりします。そのこと自体も議論すべき問題ですが、そもそもどうしてそうなったのかを正確に認識することが重要でしょう。

端的に言えば、それはプラットフォームという存在の台頭から起きていることです。

今やプラットフォームという言葉は、私たちが日々の生活の中で当たり前に耳にするものになりました。この言葉を日本語に訳すと「基盤」になります。例えば、ソーシャルメディアは、昔であれば自分でホームページを作るために必要としていた機能を、全ユーザーが使える共通パーツとして提供してくれます。このように、インフラ機能を集約して共有することで、その「基盤」の上で活動するコストを下げるのがプラットフォームの特徴です。

このプラットフォームを提供するプラットフォーマーは現在、世界で最も勢いのある企業たちです。彼らは私たちの生活に必要な様々なものを汎用化して、共有させることで価値を提供しています。しかし、それは同時にあらゆるものが汎用化されて、共有されていく圧力を世界に与えているのです。この彼らの思想の起源は一体、どこにあるのでしょうか。

僕はこのプラットフォームの思想は「都市」の発想を引き継いでいるのではないかと考えています。「都市」と同じくしてプラットフォームは人間の写像であるということです。

人類の文化は長らく都市を中心に発展してきました。芸術などの表現も、やはり都市から生まれてきた様々な文化の一つとしてあったのです。そのため、私たちは「都市」という存在を文化を生み出すための装置として考えがちです。

近年、マイルドヤンキー[注24]と呼ばれる若いブルーカラー層のライフスタイルが、広く知られるようになりました。彼らはアートの世界のような文化系の人々とは生活スタイルや文化的価値観に大きな差があるため、マーケティングの人々をはじめとして一部で大きな驚きを持って受け止められました。彼らを描いた本によると、地方のマイルドヤンキーはショッピングモールでの買い物やファストフード店での食事に満足して生活していて、文化的には大衆音楽や大衆映画しか好まないとされています。裏を返せば、地方における巨大なショッピングモールは、彼らの生活を支える充分なインフラ（コミュニケーション消費基盤）として機能しているのです。

この問題について取り上げた先駆的な作品が、映画にもなった嶽本野ばら氏[注25]の『下妻物語』（小学館・2002年）です。

この小説の中で、ロリータファッションに身を包む桃子が、ヤンキーのイチゴに「服はどこで買うの？」と聞く場面があります。イチゴの返答は「ジャスコで買う！」というもの。そして、この作品の中でジャスコは一貫して「均一な服が売っていて文化的ではない場所」の象徴として扱われています。このようにショッピングモールが地方都市におけるあらゆるファッションやコンテンツを販売する装置としてあり、都市文化に対立する存在として語られる構図は現在も大きくは変わっていません。

ところが、最近のショッピングモールは拡大集約化が進んだ結果、もはや別の存在へと姿を変え始めています。貪欲に文化を吸収しているのです。

今やショッピングモールはありとあらゆる娯楽――スーパー銭湯・シネコン・ホー

ムセンター、さらにはペットショップからヴィレッジヴァンガード[注26]に至るまで――が含まれた複合施設になりつつあるのです。かつて『下妻物語』が文化的貧困の象徴として描いたショッピングモールは、十数年の時を経てよほどのことがない限り、その中で満ち足りるくらいにまで充実した空間になっています。

僕はときどき講演で「人類が宇宙に行くときには、ショッピングモールを星間宇宙船にして打ち上げればいい」と冗談を言うことがあります。後は地球からテレビの電波に乗せてアイドルの歌でも届ければ、大抵の人は満足して暮らしていけるのではないか……まさにアニメの『超時空要塞マクロス』[注27]の世界そのものです。

この高度化する郊外のショッピングモールに対して、現代都市にもまた、様々な都

注24　2014年にマーケティングアナリストの原田曜平氏が提唱した新しい消費者層。郊外や地方在住で地元志向が強く、友人や家族との間に強い仲間意識を持つほか、乗用車はミニバン、ミュージシャンはEXILEを好み、ショッピングモールを頻繁に活用する、といった傾向が挙げられる。

注25　小説家、エッセイスト。代表作に『下妻物語』『ミシン』などがある。

注26　「遊べる本屋」をキーワードに様々な雑貨が置かれている書店。担当者の経験を頼りに、POSデータを使わずに仕入れを行ってきた歴史があり、チェーン展開しながらも品揃えには独自性がある。

注27　タツノコプロ・アニメフレンド制作のロボットアニメ。作中でリン・ミンメイがアイドル歌手になるストーリーが描かれている。

市機能やエンターテインメントを内包しながらインフラの集約化が起きています。周囲を見渡してみてください。大都市であっても、街中に溢れている店舗の多くは地方都市と変わらないチェーン店ばかりになっています。また、そうではない中小店舗さえも、ショッピングモールの店舗がモールの様々な機能に依存するように、都市の巨大なインフラに支えられています。つまり、今や都市でさえも街全体が巨大なショッピングモールとして振る舞っているのです。とすれば、都市と比較して郊外のショッピングモールを批判する言説は、既に成立していないことになります。

しかし、ここには確実に失われているものがあります。現代の都市構造は、あらゆるコンテンツを吸収する性質を持っていて、かつてコンテンツが単体として持ち得た「全体批評性」を飲み込んでしまうのです。

象徴的に言えば、人々はシネコンに『ゼロ・グラビティ』や『マッドマックス』を観に行くのではなく、シネコンとして切り出された娯楽を体験しに行っているのです。そこでは、都市はもはや一つの巨大な棚のようなものです。それは、あらゆるものを内包して拡大していく存在であり、それゆえにその棚の中にしまわれた各々の要素＝作品からは全体批評性を持つものがどんどん減っていくのです。そして、そこでは新しい作品が生まれても、地方におけるファッションがジャスコに内包されるように、シネコンやモール内の空間、アートスペースなどに内包されて日々のエンタメやとりとめのないコミュニケーションに転化していくのです。

このような都市の機能は、ある意味ではプラットフォームによく似ています。というよりも、Googleなどのプラットフォームが都市のように振る舞っているのです。ショッピングモールはそこを動き回る人々の動線を制御して、コンテンツ（各々の店舗）へとデリバリーしますが、現代の都市計画も同様の思想で運営されていますし、Googleもインターネット上のコンテンツにまつわる動線を制御することで力を得ています。そして、彼らはあらゆるコンテンツを吸収して、ウェブ上のページが全てGoogleのコンテンツであるかのように振る舞っています。彼らは情報と情報をまるで見えない棚に置くようにして紐づけ、整理するのが得意です。

しかも、Googleの凄いところは、基盤を共通化することでコストの最小化を実現しながらも、ユーザーがその上で行う活動について無限の多様性を保証したことです。モールの中にある服もレストランもスーパー銭湯も、あるいは都市の中にある店舗も、どれも小さいコストで多くのニーズに応えられる場所を目指していますが、やはり無限というほどではない。そこに実際の店舗に対するウェブの優位性があります。

こうしてメディアの上に乗ったコンテンツは、プラットフォームの下位存在として の地位に甘んじるようになります。どんな革新的なコンテンツもプラットフォーム上に多様性をもたらすのがせいぜいで、その下にあるプラットフォーム自体には何も影響も与えない。なぜなら、プラットフォームの手のひらから出た瞬間にコンテンツの存在は見えなくなり、なかったものとされるからです。

現代の作家は、いくらプラットフォームを越えようとあがいても、プラットフォームの一部分にしかなれない。僕たちは全体批評性を失ってしまったのです。それはコンテンツのみならず、ビジネスでも同じことが言えます。Kickstarter[注28]そのものを、そこで資金募集している単体のプロジェクトが超えることはありえないし、映画館で上映されている映画が映画という様式自体を刷新することもありません。

しかも、ニコニコ動画やYouTube、Twitterのようなプラットフォームが複数のコミュニティを生成するようになったことで、僕たちの周りの文脈は飽和状態になりました。その結果、メディアアートがある時期以降に積み上げてきた、文脈を複雑に練り上げていく種類の表現の影響は小さくなりました。そして、メディアアートは、単なるショッピングモールの中の一店舗にすぎなくなり、狭いコミュニティの同業者同士の議論の場以上のものではなくなってしまったのです。

しかし、文化とは果たしてそういうものなのでしょうか？

新しいことをするために

一方で、このプラットフォームにあらゆるコンテンツが吸収されていく時代に、企業体はどう対応していくのでしょうか。

例えばAppleの思想は、パーソナルコンピュータを開発した人々——ダグラス・エンゲルバートから、アラン・ケイ、そしてスティーブ・ジョブズへと連なる、人間の能力を拡張する「エンパワーメント」のための存在としてコンピュータを捉える系譜の中にあります。もちろん自身がプラットフォームを所有してはいるのですが。

これは、人間を雑事から解放するためにコンピュータを使うという思想によるもので、近年、人工知能へと接近しているGoogleの思想とは異なる系譜にあります。思想として見たときに「パソコンの思想」と「人工知能＋プラットフォームの思想」は、

注28　２００９年にスタートした同名企業が運営するクラウドファンディング。ゲームやプロダクト、雑貨の開発に至るまで、その制作資金をネットユーザーが共同出資して支援している。

実は似て非なるものなのです。

実際、Appleの目指すコンピュータはどんなものかと聞かれたスティーブ・ジョブズは、「人にとっての自転車のようなものを目指した、速く走れたり遠くに行けたりするための道具」と回答しています。人間の身体的特徴や知的能力、表現の自由をいかに拡張していくか――これこそがパーソナルコンピュータの開発者たちの思想なのです。

そして、彼らの姿勢はこれまでに論じてきたような、コンテクストに依存しない原理主義的な感動をもたらし、人間の新たな可能性を発見した一つの事例になりました。古くはAppleIIから最近のiPhoneに至るまで、Appleの製品は「文脈のゲーム」では捉えきれない未知の感動を人々に与えることで、世の中にコンピュータを普及させてきたのです。今ない価値をどうやって作るかということです。

ところが、最近のAppleのCM映像[注29]はなんだか妙なことになっています。

彼らは、自分たちの行ってきた表現を、20世紀後半のヒューマニズムの文脈で捉えようとしています。結果、そこに流れる映像はスピリチュアルな表現に接近しています。実のところ、Apple WatchもiPhoneも、出てきた当初の感動と比べると、今や目新しい体験はほとんどありません。Ｍａｃという素晴らしいデバイスを使うことは、人間の個性を浮き彫りにして、人間性を根本から拡張するはずでしたし、実際そのように世界を変えてきたことも間違いありません。しかし、現状ではせいぜいリンゴマークのそばに貼られたシールの数程度にしか、Appleユーザーの間には違いがありません。

そして、ジョブズの死後に発売されたApple Watchによって明らかになったのは、Appleがテクノロジーによる人間のエンパワーメントを諦めて、ブランド戦略に向かったということです。

それはＭａｃ、iPhoneと、パーソナルコンピュータの革命を先導してきたAppleが告げた、パーソナルコンピュータ革命の時代＝マルチメディアコンピュータの時代の終焉でもあります。今や人々の間にＧＵＩのユーザーインターフェースは浸透し、開発のためのプラットフォームも行きわたりました。その時代に、Apple Watch程度のハードウェアの革新では、人間性のアップデートに繋がるほどのインパクトは持てなかったのです。

注29　２０１４年のiPad AirのＣＭ。19世紀の米国の詩人ウォルター・ホイットマンの詩「O Me! O Life!」の朗読に合わせて、様々なシーンでiPad Airが利用されている映像が流された。

僕には、彼らの最近のCMが、彼ら自身の出自であるカリフォルニアンイデオロギーに由来するスピリチュアルな文脈によって、この挫折を正当化しようとしているように見えます。おそらく、ジョブズなきAppleは、モノの力を信じきれなくなりつつあるのかもしれません。ハードウェアによる原理的な体験の更新を志向していたはずのAppleが、文脈主義的なブランド戦略に傾いてしまっている——そんな印象を受けるのです。

しかし、Appleさえもがヒューマニズム的表現に帰着しようとしている世界において、僕たちアーティストや起業家はどうやって自らの帰属する人類の価値観や芸術の定義を刷新していけばいいのでしょうか?

この本で僕が一貫して唱えているのは、デジタルカルチャーの大元に戻ろうということです。

第1章でアイバン・サザランドの弟子たちが、20世紀の「映像の世紀」にインタラクティブアプリケーションの始祖である彼の発明を組み入れていった過程について触れました。サザランドが生み出した思想の系譜といかに向き合うか。これはアーティストが批判力を持つためにテクノロジーを身につけなければいけない時代において、重要な知識となるでしょう。

なぜなら、サザランドの弟子たちが生み出したプロダクトこそが、今や都市が抱える商業的なスロットの最も重要な要素のひとつとして機能しているからです。

しかも、現代という時代は、サザランドという巨大な思想から4人の弟子がバラバラに受け継いだ系譜が、コンピュータインフラの進化で再び統合されている時代です。彼らの創り出した装置は、今や都市やプラットフォームの同調圧を支えるインフラになっています。サザランドの弟子たちの業績は、彼のプロダクトを「映像の世紀」のマルチメディアコンピュータにチューニングすることだったのだから、それは当然の帰結です。

そこで参照したいのは、サザランドと同時期にユーザーインターフェースの研究をしていた、マウスやハイパーテキストの生みの親であるダグラス・エンゲルバートの言葉です。彼は、マウスの発明について聞かれたときに、以下のように答えました。

> The Mouse was just a tiny piece of a much larger project aimed at augmenting human intellect.
>
> ──マウスは人間の知性を拡張するためのもっと大きなプロジェクトにおける小さな一歩にすぎなかった。

彼にとって、マウスは単なる操作しやすいユーザーインターフェースの発明ではありませんでした。彼は、人間の知性をコンピュータでいかに拡張するかという発想から、それを生み出しました。コンピュータは、自動車や自転車や冷蔵庫のような装置や単なる道具ではない――そういう確信が、エンゲルバートにはあったのです。
そして、この言葉から僕はコンピュータの時代の人間の表現活動を再定義してみたいと思います。具体的には次のように言い換えます。

The Media Art was first revealed cultural aspects of computation aimed at augmenting human expression.
――メディアアートは人間の表現を拡張するという観点で、最初に表出した計算機の文化的性質にしかすぎなかった。

メディアアートは元来、業界人が仲間内で行う「文脈のゲーム」ではありませんでした。それは、テクノロジーによって人間の認識を変革するための表現でした。
もちろん、メディアアートの影響力そのものが現在では低下しているのも事実ですが、僕は必ずしもそこに失望してはいません。むしろ、現代のコンピュータテクノロジーをしっかりと使えば、単なるメディア装置としての人間の認識への揺さぶりを超えた、人間の五感や世界認識のあり方そのものを直接に変革する表現になりうるはずだからです。デカルト、ニュートン、ベーコンが近代に変革していった科学と認識のあり方のように、人間とコンピュータの関係性の更新によって我々の世界認識が変化しようとしているのです。

僕は今だからこそ、「心を動かす計算機」を作ることが、メディアアーティストにとって重要なのだと考えています。

僕は20世紀的なメディア上にコンテンツを乗せた芸術は、めっきり作らなくなりました。今では研究による発明に伴った作品しか作っていません。なぜならそれこそが、そしてそれのみがアートや表現のパラダイムを刷新しうると考えているからです。

僕の考えでは、現代のアーティストとは、あらゆる文脈をその中に飲み込んでいこうとするプラットフォームの同調圧に、絶えざる技術革新がもたらす原初的な感動によって挑み続ける存在です。だからこそ、第2章で述べたように「魔法の世紀」のアートは本来の意味でのメディアアートに近づき、またシリアルアントレプレナーシップにも似てくるのです。

だからこそ、僕たちはプラットフォーマーの思想と常にぶち当たりながら、それを乗り越えることで、新たな原理を注入し続けなければならないのです。今の時代における芸術や文化の役割とは、プラットフォームを乗り越えて、人間に原初的な感動を与えることにあるのです。

そして、規定されたプラットフォームの上で、コストの最小化とコンテクストの多様性の最大化を図るのではなく、新しいテクノロジーの発明をひたすらに連続させることで、人間の精神に原理主義的なショックを与えて、そのあり方を外在的に規定していく営みとしてアートを捉え直すのです。

それゆえ、「魔法の世紀」のアーティストはまず、原理としてのテクノロジーの知識を備え、次に、そのテクノロジーの現在的な意味づけを行う必要があるでしょう。深層と表層を同時に設計した上で、さらにそのプロセスを常に刷新し続けていく必要があるからです。

こういうアーティストのあり方、つまり技法と技術自体を再発明し続けるアーティスト像は、表現の伝播のあり方も大きく変えていくでしょう。インターネット時代には、作品が興味を持たれる時間的スパンとメディア性が、その時代時代で優勢なプラットフォームの特徴によって変わり続けます。そういう状況では、もはや新しい技術、プラットフォームを飛び出しうる技術に通じたイノベーターにしか、文化的に価値がある表現はできません。フォロワーも、イノベーターに追いつくのが精一杯でしょう。

これは結果的にテクノロジーとコンテンツが分離できなくなる事態の到来を示しています。もはや、イノベーターがイノベーションも織り込み済みの「テクノロジー・コンテンツ」を作るしかない時代なのです。

とりわけここから先のアーティストに必要なのは、表現のスロット自体をアップデートしていく技術です。

それは例えば、LINEやTwitterのようなサービスです。彼らは既存のAPIを継ぎ接ぎして作る総合的なサービスの道を選ばずに、「スタンプ」や「140文字という制約」といった強力な機能による一点突破を目指しました。しかし、それは一点突破でありながら、同時に全体に関わる障壁を崩すようなテクノロジーでした。この発明によって生態系が組み替わり、新しいプラットフォームやインフラの再構成が起きることで、優位性を手に入れたのです。場づくりによる表現ということができるでしょう。

映像や写真の技術の成熟が、純粋芸術と大衆文化を分ける契機となったように、コンピュータカルチャーがプラットフォームの同調圧を食い破り、全体批評性を再び獲得するためには、それくらいのインパクトが必要になります。

表現のスロットの中にランダム発生的に誕生するコンテンツが批評性を持つ瞬間もあると思いますが、それはプラットフォームの最初期を除けば、コンテンツ／コンテクストの多様化が進むにつれて急速に減少していきます。

僕がここで思い出すのは、アニメ『機動戦士ガンダム 逆襲のシャア』[注30]におけるアムロの「革命は大衆に飲み込まれていく」という言葉です。しかし、この言葉は、現代の「原理のゲーム」の中でアートが置かれた場所を指し示しています。革命としてのアートも、プラットフォームに吸収されたとたん、たちまち汎用的なポップカルチャーに墜ちていく——そういう時代を、これからのメディアアーティストは生きていくのです。

なぜイシュードリブンの時代なのか

とはいえ、ここまでの話はあくまで原理論であって、現実に作品を作っていく場合には、「原理のゲーム」と「文脈のゲーム」の両方に耐えうる作品を問う戦略こそが有利であるのは言うまでもありません。

僕の場合には、サイエンスを用いているために「文脈のゲーム」による後ろ盾を構築することが比較的容易です。サイエンス・テクノロジーとアートを組み合わせると、既存の科学技術とカルチャー文脈に介入しながらも、同時に原理のゲームとしても勝負できるような非常に強力な手法になります。テクノロジストとアーティストを兼ねることには、そういう恩恵もあるのです。

そういう観点から、ここまでの「原理のゲーム」に即した話に加えて、「文脈のゲーム」での戦略についても話しておきましょう。

この十数年、アートの世界で盛り上がっている手法にアートプロジェクト系の社会運動があります。これは地域や教育などの社会問題に対して、アートの立場から問題解決をしていくというものです。例えば、イタリアのレッジョ・エミリアは幼児の芸術教育をするプロジェクトです。そのワークショップでは、絵を使ったり影を用いた教育をしていて、その活動そのものがアートとして評価されているのです。この潮流

注30　1988年3月に劇場公開されたアニメ映画。大人気アニメ『機動戦士ガンダム』から14年後に起きた抗争を描いた。

は、「コミュニティ」や「地域性」が叫ばれるようになって以降、ますます強まっています。

こういった手法は、風刺画のような社会風刺としてのアートが、ピカソなどの社会派アーティストの登場を経て社会に問題提起する表現を行うようになり、直接の社会問題の解決に向かっていった潮流の中にあります。つまり、権力者をただ風刺していればよかった時代から、芸術を通じて社会を動かすムーブメントを作る時代になり、さらには自分で手を動かして実際的な解決を目指す時代へ、ある意味でどんどんプラクティカルな方向へとアートと社会の関係は移行しているのです。

なぜこういう流れが生じているのかは、また議論が必要だと思いますが、僕自身の考えでは、やはりコンピュータが人間に可能なことをエンパワーメントした結果だろうと思います。生物学的に何も進歩していないし、教育時間も変わっていないのに、私たちは過去の人類よりも遥かに多くのタスクをこなしています。アーティストにとっても、単に作品を生み出すだけでは現実への関わり方として物足りなくなり、やがて社会に目を向けて警鐘を鳴らす人が現れ、さらには実践を伴うようになったのでしょう。

いわば、現代はかつての草間彌生[注31]やオノヨーコの時代の斬新な表現、たとえば服を切り取ったり全裸でパフォーマンスしても必ずしも評価される時代ではなくなりました。あの当時は人間の身体や慣習と芸術行為による逸脱可能性の対比から表現に落とし込めば文脈が獲得可能な黎明期でした。しかしながら、この現代において「文脈のゲーム」で勝つために解くべき問題は、成熟化しより実装困難になっているのです。では、問題解決がアートに接近している時代に、最も強い戦略はどんなものでしょうか。

ここで参考になるのは、シリコンバレーのアントレプレナーシップだと思います。スマホやアプリケーションの事業者は、iPhoneや自らのアプリによって様々な問題が解決されていると主張しています。しかし、彼らの言う「解決すべき問題」とは、そもそも彼ら自身が生み出している面も大きいのです。

例えば、なぜ僕たちはスマホで絶え間なく、仕事のメールやLINEを確認しているのでしょうか。それは自らがそう望んだというより、スマホがいつでもコミュニケーションをとれる環境を整えたことで、過剰な繋がりを強いられるようになったという方が近いでしょう。

注31　アーティスト。統合失調症の幻覚体験などに題材をとった独特の画風を展開している。

このように自ら問題＝文脈を作り出して、自らのユースケースによって解決していく行為ほど、現代において高付加価値を生み出す戦略はありません。「映像の世紀」のような、共通の文脈に乗せてCM戦略を打つ手法は、もはや有効ではなくなっているからです。どう問題を作り（発見・定義し）、どう問題を解決するか。

僕たちのコミュニティは島宇宙化し文脈は飽和しています。そういう状況で、プロダクト自体が自らの文脈を持ち、さらにその文脈の中で自分がいかに有用かを述べることは、価値あるプロダクトであることをプレゼンテーションする強力な手法になります。

この「ユースケースを自ら語る機械」という詭弁的な存在は、本質的にはマーケティング戦略が生み出した産物です。しかし一方で、これこそが現代におけるアートの社会的役割そのものであるとも言えます。メディアに乗ったそれらのプレゼンスに至っては、まさにフレームとして、メディアアートに他ならないでしょう。

20世紀のマス広告やプロダクトがプレゼンテーションしていたような、生活の中で自然に生じてくる問題を解決をする文脈はもはや探し尽くされており、大抵のものがコモディティ化することで価値を維持しています。コミュニティが細かい島宇宙に分解された世界において、モノを売るための手法と強い表現を探し出す行為は、近似しつつあるとも言えるでしょう。もちろん、現代アートの「文脈のゲーム」においても、この「問題を発見し、問題を自ら解く」という手法が強力であるのは言うまでもありません。

ついでに言うと、この「問題を発見し、問題を自ら解く」という構造は、僕のいるコンピュータ科学周辺のアカデミアにおいても重要になりつつあります。

その流れを先導しているのが、MITメディアラボです。伊藤穰一[注32]氏が所長になってから、「Deploy or Die（実践するか、死ぬか）」という基軸が生まれました。これは1985年にMITにメディアラボができたとき、ニコラス・ネグロポンテ[注33]氏が「Publish or Perish（論文を書くか、去るか）」という言葉をもじって、「Demo or Die（実証するか、死ぬか）」という言葉を使ったことに始まるものです。それをさらに伊藤氏は「Deploy or Die（実践するか、死ぬか）」に変えたのです。

彼は、一回のデモで実証できたとされる従来の研究では、もはやインパクトを与え

注32　ベンチャーキャピタリスト、シリアルアントレプレナー。株式会社デジタルガレージ、Infoseek Japanを起ち上げている。2011年には日本人で初となるMITメディアラボ所長に就任した。

注33　コンピュータ科学者。1985年にMITメディアラボを創設して、特にインターフェース分野の研究の発展に大きく寄与した。

ないと考えています。それが実際に世の中の問題の解決手段としてワークするものになっていなければ、価値がないという考えを採用したのです。

これはアカデミズムの対象を広く大規模なプロジェクトとして学際的にしていく思想と言ってよいでしょう。そして「魔法の世紀」のメディアアート、サービス、テクノロジーがいずれも自ら存在価値を作り出し、プレゼンテーションによってその価値を強化していくことにも符合しています。

と言っても、その理由は難しくはありません。結局のところメディアアート、プロダクト、コンピュータ科学、いずれの分野においても共通文脈の消失が起き始めているということなのでしょう。

しかし、そうなったとき、アートがアートである意味はどこにあるのでしょうか。僕としては、ここは素朴に批評さえつけば、全てがアートとして扱われるくらいに

写真26—Deep Dream

考えています。極端な話、ノーベル賞受賞者の山中伸弥先生[注34]がある日「私はアーティストである」と宣言すれば、なんだかiPS細胞もアートに見えてきて、批評を始める人がいるかもしれません。そうなったとき、それは「文脈のゲーム」の観点からは「アートである」としか言いようがないのです。

実際のところ、Googleの動向やプロダクトを、もはや我々はそのように捉え出しているのではないでしょうか。Googleの人工知能が描いた『Deep Dream』[注35]［写真26］は、メディアを通じて我々に現代のアートのみならず、あらゆる人間が直面している最も巨大な問題を突きつけているように思います。

何より、凡百のメディアアートよりも遥かに多くの人々が、あの装置から生まれた作品についてネット上で議論を交わしていました。前章で記したメディアアートの定義に照らしても、それに当てはまるプロダクトをGoogleが生み出していることは誰も否定できないのではないでしょうか。人間の表現と世界認識がコンピュータによって変化してきているのです。

注34　医学者。iPS細胞の研究で、2012年にノーベル生理学・医学賞を受賞した。
注35　Googleの人工知能を用いた画像処理アルゴリズム。サイケデリックな画像が生成されることで話題を呼んだ。

コラム

人工知能は我々の世界認識を変えるか

この章では問題設定と問題解決を同時に行うのが大事であると書きましたが、今後の人工知能の発展は、その大前提を崩す可能性を秘めています。

例えば、最近Google Scholar（＊注36）で検索すると、「あなたが興味がありそうな論文」をGoogleのエンジンが見つけてきてくれます。しかも、よく読んでみると、自分が次にやろうと思っていた研究のネタが書いてあったりします。

逆に言えば、僕たちがどういう問題を解くべきなのかを、既にGoogle Scholarの方が先回りして認識し始めているわけです。

そうなると、もはや僕たちは自分が研究の主体になっているのか、それともコンピュータに研究させられているのかわからなくなってきます。先にも書いたミトコンドリア理論からすれば、インターネットによって研究者は単なる乱数発生機として、着々とコンピュータに組み込まれ始めているのかもしれません。

そうなると、よく言われる「人工知能の時代に人間に求められるのは、問題を設定する能力だ」といった言説が、本当なのか疑わしくなってきます。僕は、問題の設定から解決まで、コンピュータが一貫して手伝ってくれる世界が訪れる可能性は高いと考えています。例えば六大学のようにある競争原理に基づいた人の集団があって、問題をプールして自由にやらせておけば、人とコンピュータが渾然一体となった形で、プールした問題を解いていくのではないでしょうか。コンピュータによって支えられ、隔離された問題解決のための「人機一体」の機関。現状のアカデミアはそうなりつつあるように見えます。

ただ、コンピュータになくて人間にはあるものが一つだけあります。それは「やる気」です。「意志」や「モチベーション」と言い換えてもいいでしょう。問題と結果があっても、そこからどれをどう選ぶかのモチベーションを与えるのは結局のところ、人間でしかない。と言っても、それも結局はコンピュータに一種の乱数発生源として、問題解決に利用されているだけなのかもしれませんが、方向性はまだ自由ではないかと思います。

人工知能の話をすると、こういう方向に話が進みがちですが(ちなみに、僕は本当に人工知能が全てをやってくれる世界が来たら、仏国でワインでも作りながら暮らすつもりです。人間らしいことだけをして暮らせばいいだけの、最高の未来だと思います)。直近の「魔法の世紀」における私たちのアカデミアとの関わり方を言うと、やはり論文や学会のようなものは徐々に存在理由を失っていくとは感じています。

結局のところ論文は、テキスト媒体が全盛の時代に考えられたプレゼンテーションでしかないので、今後は動画やコードリポジトリで発表されたって構わないと思います。権威機構としての学会も、インターネットそのものに査読機能に相当するようなコンテンツの自浄作用が働くようになるにつれ究極的には、必要なくなっていくのではないかと思います。

ちなみに、卑近な話をすると、現在の理系のアカデミアにおける役割は、企業には扱えない超高額な装置を使って全く新しいことをやるか、安い装置を使って人を巻き込んで、企業では企画が通らないようなプロジェクトをやるかという、コストの二極化の世界に突入しています。その中間のあたりは、基本的には企業体がやるのに向いたものです。「自らこれまでにない問題を作り出して、自ら解く」というのは、そういう中でインパクトのある研究をするための、実践的な知恵でもあります。

これは現在のベンチャー企業と大企業の関係性の中にもかいま見えます。ある方向性でヒトとコンピュータを囲えば、問題が解決されていくようになっていくのではないでしょうか。

注36　主に学術用途に対応した、Googleの検索サービス。論文や学術誌の全文検索やメタデータに対応。

第　4　章

新しい表層／深層

デザインの重要性

前章では、表現者がテクノロジーを使いこなし、あらゆる創造活動がメディアアートに漸近し、様々なテクノロジーが製品の面でも文化の面でもメディアアートに接近している現在、自ら問題を生み出して自ら解決するような手法が様々な分野で台頭しつつあるという話をしました。

これを僕は「工学的な知」への回帰だと考えています。

実は産業革命以前には、サイエンス（Science）とテクノロジー（Technology）の間に明確な区別はありませんでした。工学という学問は、そもそも産業革命以後に成立した学問なのです。デカルトとベーコンの時代には、思惟と観察にはへだたりがありましたが、近代、それは科学技術として持続され、コンピュータ時代の今、機械学習結果など人間には展開不可能な知識が増えつつある中で、その定義すら変わりつつあるのです。

産業革命以前は、自然を機械的に扱う学問全般のことを、アルテス・メカニケー(Artes Mechanicae)と呼んでいました。この言葉は英語に輸入され、メカニカル・アーツ（Mechanical Arts）と変わります。

これはリベラル・アーツ（Liberal Arts）という、人間の思想や精神を対象とした学問の対義語に当たります。日本の哲学者の西周は、[注37] メカニカル・アーツを「技術」と訳しました。

一方で、古典的な意味でリベラル・アーツに当たる言葉はアルテス・リベラレスと呼ばれていました［図1］。

アルテス・リベラレスが内側に向かう知性ならば、アルテス・メカニケーは外側に展開していく知性と言えるでしょう。このように人間と知の関わりを二分する発想は、技術を表すテクネというギリシア語の意味にもよく現れています。

注37　西周（1829－1897）。幕末から明治時代にかけて活躍した思想家。翻訳にも携わり、「藝術」や「理性」など科学や哲学の様々な訳語を考案した。

	ラテン語	英語	日本語（西周訳）
人間の思想・精神の学問	アルテス・リベラレス Artes Liberales	リベラル・アーツ Liberal Arts	藝術
自然を機械的に扱う学問	アルテス・メカニケー Artes Mechanicae	メカニカル・アーツ Mechanical Arts	技術

図1―人間の学問の二分類

テクネとは英語でいうところの、アート（Art）とクラフト（Craft）の二つの意味を持つ言葉でした。ここでのアート（Art）とは、リベラルアーツや芸術、科学技術を含む概念です。自然に対して人間が「内側」に抱く英知そのものと言ってよいでしょう。それに対して、クラフト（Craft）は技巧、手芸、工法を含む概念で、人間が「外側」の自然に作用するための加工技術です。

私たちの知る「テクノロジー」という言葉は、このテクネがドイツ語に輸入されたときに、クンスト（Kunst）になり、そこからコツや技法を指すテヒニーク（Technik）と、そのテヒニークの学問としてのテヒノロジー（Technologie）という言葉が生まれたことに始まります。このときに、テヒノロジーはメカニカル・アーツ（Mechanical Arts）＝アルテス・メカニケーという概念に一致したわけです。

つまりは本来、技術とはもっと大きな、機械的にこの世界を考える言葉であり、物理学、身体動作、工学全般を指す言葉だったのです。

さて、僕は技術という言葉を、このメカニカル・アーツ＝アルテス・メカニケーという古典的な意味に戻したいと考えています。

このアルテス・メカニケーは実学的な知であることから、世界の本質を理解しようとするアルテス・リベラレスに比べ、下に見られてきました。このデカルト、ベーコンあたりのやりとりは、モリス・バーマンの論に詳しいですが、しかしながら今はコンピュータが普及した「魔法の世紀」です。アルテス・リベラレスが従来の専門分野に留まらなくなっていく中で、つまりコンピュータという枠組みが外側へと広がっていく中で、それを接続して、実問題との隣接領域で問題を解決していくための「知」が必要不可欠になり始めている現状があります。

その意味で「魔法の世紀」とは、アルテス・リベラレス同士の接着剤として、アルテス・メカニケーが存在し、アルテス・メカニケーによって実問題が解決されていく時代なのではないでしょうか。手の技と思考の枠組みがコンピュータによって再定義されてきたのです。

そう考えたときに興味深いのが、近年ＩＴ業界においてエンジニアとデザイナーの地位が大きく上昇してきたことです。エンジニアについては以前からですが、特に最近は「デザインエンジニアリング」という、デザイナーとエンジニア双方の視点を兼ね備えた見地から設計や改良を行う手法が登場したり、ＩＤＥＯなどデザインファームが一世を風靡するようになるなど、デザインの領域が大幅に重視されるようになりました。中には、企業の経営判断にまでデザイナーが関わるといったことも起きています。

ここで面白いのが、実はデザインとエンジニアという言葉は、本来の意味での「技術」の定義には関係がないということです。先ほども述べたように、技術という言葉は、ギリシア語のテクネという言葉に語源を持ち、現代で言うところの人文科学や自然科学まで含んだ、人間の英知全般を指す言葉でした。それが様々な紆余曲折を経て、ドイツ語のテヒノロジーという言葉に行き着くことで、日本語の「技術」という狭い意味の言葉に翻訳されたものです。

しかし、デザインやエンジニアは違います。デザイン（Design）は下（De）に印（Sign）をつけるという意味の言葉であり、テヒニーク（Technik）における対象物の設計という一分野を指す言葉でした。

エンジニアという言葉の誕生については諸説ありますが、ラテン語で「天才」という意味の言葉のインジニウム（Ingenium）が転じて、エンジニア（Engineer）になったという説が有力です。つまり、語源学的には、テクノロジーから派生したものではないのです。

ところが、この本来の意味での「技術」とは違う出自を持つ、デザインとエンジニアがテクノロジー文化の中で脚光を浴びているのが現代なのです。しかも、技術のイメージそのものが、むしろこの二つの言葉が意味するものに近づいているのです。

そこで、まずはデザインとエンジニアという概念がどのように形成されたのかの歴史を辿ることにしましょう。それはきっと今後のコンピュータと人間の関わりの中で、重要な意味を持つことになると思います。

デザイナーの誕生——バウハウスの産声

デザインやエンジニアが注目を集めるようになった契機は、18世紀半ばから19世紀にかけて起こった産業革命でした。産業革命の特徴は、モノを大量に消費する時代をもたらしたことです。現代まで続く大量生産の時代は、ここから始まったと言えるでしょう。

それ以前のものづくりは、マニファクチュア（工場制手工業）に代表される、意匠と機能を総合的に制作するものでした。しかし、産業革命以降は生産工程を機械が切り離して行うようになっていきます。いわば統合された「ものづくり」としてのクラフトマンシップから、生産活動が分離されていったわけです。その結果、ただ作るだけではなく、意匠や機能について考える専門家が必要になってしまいました。

そこで登場したのが、意匠について考えるデザイナーと、機能について考えたり機械を修理したりするエンジニアです。しかし、それでも産業革命直後は、粗悪で生産性の高さのみに着目したような製品ばかりが世に溢れかえっていたといいます。

そういう状況を踏まえてドイツで登場したのが、かつての精巧なクラフトマンシップ（職人芸）を取り戻そうとする19世紀イギリスの「アート・アンド・クラフツ運動」[注38]に影響を受けたドイツ工作連盟です。その中心にあった教育機関こそが、かの有名なデザイン専門の学校バウハウスです。

アーツ・アンド・クラフツ運動を先導したのが、主だって建築家だったこともあり、バウハウスのデザイン教育は、建築学（古典的、統合的デザイン教育）、グラフィックデザイン（印刷時代に必要なデザイン学）、プロダクトデザイン（大量生産時代に必要なデザイン学）を中心としたものでした。

面白いことに、バウハウスがこのときに行った教育活動は、クラフトマンシップを取り戻すという目的とはある意味で逆行していました。彼らは、産業革命以降の世相を踏まえて、モノと抽象的な意匠や外見を区別することを理論化して、そこに合ったデザインの手法を教育したのです。彼らは単純な保守反動ではなく、むしろデザインと生産工程の分離を加速させて、その時代に対応したデザインのあり方を理論化したのです。

バウハウスの運営者には後の構成主義の大物たちが揃っています。有名どころとしては、カンディンスキーやパウル・クレー、あるいは色彩学の大家であるヨハネス・イッテン[注39]もこの時期のバウハウスで教員をしていました。若き日の彼らは、デザインは理論化することで誰でも習得が可能であることを、最初に示した人々だったのです。デザインの手法をパターニングとその選択の問題として捉える発想や、タイポグラフィに関わる知見の多くは、この時期のバウハウスから生じてきたものです。

バウハウスは教育機関として多くの人間を育てました。当時のバウハウスの教育は、かなり建築に寄ったもので、例えばモダニズム建築[注40]が発展するきっかけの一つにもなっています。しかしながらそれ以上に、グラフィックデザインとプロダクトデザインの教育からは、数々の重要人物が生まれていきました。

注38　イギリスの詩人ウィリアム・モリスが主導したデザイン運動。大量生産の粗悪品に対して、古きよき職人たちの工芸品に回帰することを提唱した。

注39　ヨハネス・イッテン（Johannes Itten　1888－1967）。スイスの芸術家。バウハウスで教職を務め、独自の色彩についての理論などを教えた。

注40　20世紀初頭に、産業革命以降の社会に合うような建築を作ることを主張した近代建築運動が西欧を中心に展開される中で提唱された建築様式。

もっともそれは当然のことでしょう。印刷物というメディアと、デザインされたコンテンツの二つを分離する発想が「グラフィックデザイン」で、プロダクトの生産工程やコストと、外見や機能の二つを分離する発想が「プロダクトデザイン」なのですから、まさに産業革命によって待望された技術に応えた教育そのものだったのです。

これらはいずれも現代のIT技術に繋がるデザインやエンジニアリングの基礎をなすものであり、その最初の理論化はバウハウスの優れた教育から生まれたものだったのです。

バウハウスは第二次世界大戦前に解散しましたが、教員や卒業生は世界各国に渡り、ヴィルヘルム・ヴァーゲンフェルト[注41]やマルセル・ブロイヤー[注42]、マックス・ビル[注43]といった工業デザイナーが世に羽ばたきました。こうして「デザイン」という概念は世界中に浸透していったのです。

彼らの活躍によって、デザイナーは大型のプロジェクトや価格の高い製品をデザインするだけの存在ではなくなりました。産業革命以降の、大量生産品をデザインするための専門の職種として、デザイナーは認められていったのです。

ところが、このデザインという概念は、1970年代に再び大きな変化を蒙りました。次に起きたのは、「デザイン」と「価値」の乖離――すなわち「ブランド」の登場です。表層と深層と価値の二回目の分離です。

ファッションを例にとると、１９６０年代以前の洋服市場には大量生産品かオートクチュール（haute couture、高級服、とりわけ仕立て服）しか存在しておらず、現在みられるような高級ブランド服は存在していませんでした。いわゆる「パリコレ」[注44]は昔からありましたが、それはまさにパリ・オートクチュールコレクションであり、高い技能と文化的先見性を持ったクラフトマンが先見的なデザインを発表する場でした。

そこに19世紀末から徐々に台頭してきたのが、プレタポルテ（prêt à porter、高級既製服）という概念です。プレタポルテとは、フランス語で予め用意された服（prepare to wear）、すなわちレディメイド（ready made）を意味する言葉です。

注41　ヴィルヘルム・ヴァーゲンフェルト（Wilhelm Wagenfeld １９００－１９９０）。ドイツ出身のデザイナー。機能的で大衆的かつ大量生産可能な工業デザインを得意とした。
注42　マルセル・ブロイヤー（Marcel Breuer １９０２－１９８１）。ハンガリー出身の家具デザイナー。モダニズムの最も重要なデザイナーの一人。
注43　マックス・ビル（Max Bill １９０８－１９９４）。ドイツ出身のデザイナー。バウハウス最後の巨匠と呼ばれる。
注44　年に2回、1月と7月にフランスのパリで開かれる服飾銘柄店の新作発表会。

畑違いではありますが、アートの世界において、デュシャンの『泉』（レディメイド）が重要視された理由として、この大量生産の時代において、大量生産されたモノの価値を改めて問うことが当時のパラダイムの一つだったことも忘れてはいけません。

そうして1960年代に入り、ついにパリ・プレタポルテコレクションが始まります。そこでの高級既製服は「映像の世紀」のマスメディアに乗って、世界中に届けられました。プレタポルテは既製服にもかかわらず、その先進的なデザインや比較的購入しやすい点から、市場に歓迎されました――ブランドデザインの誕生です。

プレタポルテといえば、グッチなどのヨーロッパブランドを想定するかもしれませんが、例えば僕の好んで着ているヨウジヤマモト[注45]もプレタポルテブランドです。他にもコム・デ・ギャルソン[注46]やイッセイミヤケ[注47]など、日本人デザイナーによるブランドがいくつもあります。こういったブランドは70年代から80年代のプレタポルテブームに乗って出現したものです。

このときから、消費者は大量生産された安い既製服ではなく、自己表現や自己実現の手段として、ブランド服を購入するようになっていきました。当然、「実際の価値」と「デザインによって高められた価値」は乖離するようになります。既製品にもかかわらず値段が高い。その価値の差を埋めるのが、ブランドの信用です。このときから、

「ブランド＝高いもの」というイメージがつきました。それによって、デザイナーとは、技能と意匠の「信用」によって富を稼ぐ職業になったのです。

表層と深層を繋ぐもの

では、エンジニアリングの方はどういう歴史を辿ったのでしょうか。

まず、エンジニアリングの歴史において決定的だったのが、特許の誕生です。これによって、技術そのものが富を産むようになり、発明者が多額の富を手にする環境が整い、生産行程の一元化により社会に安定雇用が生まれました。

そこで登場してきたのが、日進月歩するテクノロジーを使いこなせる、技術に造詣が深い専門職としてのエンジニアです。以降、エンジニアは常に需要のある、市場価値の高い職業であり続けています。それは産業革命以後の機械ベースの社会がもたらした必然です。これはコンピュータ登場以降の現在も大きく変わってはいません。

注45　ファッションデザイナー山本耀司が展開するプレタポルテブランド。
注46　ファッションデザイナー川久保玲が展開するプレタポルテブランド。
注47　ファッションデザイナー三宅一生が展開するプレタポルテブランド。

しかし、コンピュータの登場により変化したこともあります。それはＩＴエンジニアの登場です。彼らは、物質を扱わずコードによって情報を操作するエンジニアでした。こういったＩＴエンジニアの仕事では、製品のコンセプトを作る行為とコードを書くという行為の間に区別がつかなくなりだしています。

それはつまり、表層と深層がコードによって再び接続されて、自在に取り扱われるようになったということです。コードによってコンセプトと機能が接続されるのです。

一例をあげれば、近年の高層建築物におけるデザイン、脱構築主義建築[注48]［写真27］に代表されるような建築家、フランク・ゲーリーやザハ・ハディッド、コープ・ヒンメルブラウは、優れたＣＡＤのプラットフォームの登場がもたらしたものです。この製品を使うと、建物の表層の構造を直感的な操作で入れ替えただけで、深層の構

写真27―上海環球金融中心

造、つまり構造計算をどうすべきかを自動で再計算して提示してくれます。ここには「魔法の世紀」における表層と深層の新しい関係が象徴されています。

産業革命以降、私たちは表層と深層を分離して、それを人間の言葉やイメージによって繋いできました。しかし、今や表層と深層はコードによって、ダイナミックに計算で接続されるようになり、設計が担うべき最低限の機能や形については、コンピュータの補助によって自動的に満たされるようになります。

こうした直感的に操作できるCADやプリンティングテクノロジーが普及すれば、私たちは建築物の表層部分をメディアに落書きするだけで、深層部分は計算によって構築された建物を手に入れられるようになります。

僕が最近よく口にしているのは、そのうち子供が描いた落書きのような建築物が、コンピュータの力で建つ時代が来るということです。楔形文字の時代に落書きをする人間がいなかったのは、メディアが石板だったからです。落書きしたくても石板に彫るコストが高いため、そこまでしてやろうとは思わない。そうなると石板に絵を描くのは、アーティスト的なポジションの人に限られ、コンテンツはいつまでたっても民

注48　ポストモダン建築の一派。モダニズム建築の理念から外れた斬新な形態の建築が多い。

主化しません。

しかしながら、紙のようにコストが安いメディアが普及すれば、すぐにでも人間は落書きをし始めます。同様に、見た目だけを重視したスケッチでも、それを成立させる深層構造をコンピュータが即座に計算するようになれば、かなり柔軟に建造物を建てられるようになるのではないでしょうか。実際のところ、話題になった新国立競技場の建築も、脱構築主義建築のザハ・ハディッドらしい作品ですが、典型的なコンピュータありきの設計でしょう。

こういう状況でより重要になっているのはエクスペリエンスデザイン、つまり人間の体験の設計ができるエンジニアです。ただし、ここでいう「体験」とは、ブラウザ上で人間がどういう動線を描くかという話に留まらない、リアルでの購買行動や、居住空間でどう過ごすか、果てはどう生きるかにまで繋がる人間のトータルな体験の設計です。

これはユビキタスコンピューティングのもたらす帰結でもあります。というのも、ユビキタスコンピューティングの中にいる人たちは、まさにエクスペリエンスデザインされた空間に生きているからです。そしてその中でカーム・テクノロジーが加速していけば、ツールは不可視的に存在し、デザインされた体験だけが残っていくようになります。モノではなくコトが残る環境です。

既に、ウェブからリアルの行動へと繋げることにフォーカスした０２０（Online to Offline）の施策は、スマートフォンの中で人間がどう行動するかに留まらず、スマートフォンで飲食店のページを見た人が、どうすれば実際に店舗に来てくれるのかを設計する領域にまで来ています。コードが表層と深層をどこまでも繋いでいくのであれば、当然ながら人間の身体やそれを取り巻く環境、物質的なものもまた、コードの影響を受けるようになるはずです。

この流れはやがて、オンラインとオフラインの間を行き来するスキームで考えるよりも、多くのことを我々にもたらしてくれるはずです。

この20年間、ＩＴビジネスは、例えばリアルの本屋に対応するものをウェブ上に作ったり、ウェブの地図にいかに外出時にスマートフォンからアクセスするか、といった課題に終始していました。しかし、リアルとインターネットの間の反復横跳びをする時代は終わります。いかにリアルとネットが結びついた世界その全体性をデザインしプログラミングできるか、それこそが重要になるはずです。

そのとき、プログラミングという行為は、リアルでの体験まで含めたエクスペリエンスに強く影響を及ぼす価値を持つことになるのです。

このエクスペリエンスデザインについて説明するとき、よく僕はテクノロジードリブンの製品を「星」、エクスペリエンスデザインの製品を「星座」と説明しています。

例えば、最近のKickstarterには、テクノロジーを組み合わせて体験をデザインした製品が並んでいます。そこでは多くの体験を包括できるほど、よりよい製品だとみなされるでしょう。そのときに、「足し算の製品」と「掛け算の製品」に分類してみると、エクスペリエンスデザインの直感的な説明になっているかもしれません。

あれもできる、これもできる……と一つ一つ製品に機能を追加していく漸進的エンジニアリングによる製品が「足し算の製品」です。これは一見、優れた手法に見えますが、実は「新機能A＋新機能B＋新機能C＋……」となるだけで、限られた制約の中でいかに機能を盛り込むかの職人芸を見せる勝負になってしまいます。これは日本の家電メーカーが得意とする、ゴテゴテと機能がついたオーディオコンポや携帯電話や炊飯器などが該当します。

それに対して、この製品の機能があれば、ここでも使える、あそこでも使える……と、他の膨大な数の体験に製品の価値を掛け合わせていく発想が「掛け算の製品」です。

例えば、ソニーのウォークマンは、まさしく掛け算の製品でした。これは、既存のあらゆる体験に、ウォークマンというプロダクトの「いつでも音楽が聴ける」という機能を掛け合わせるものです。いわば、「(既存の体験A＋既存の体験B＋既存の体験C＋……)×ウォークマン」というように、ウォークマンの体験が既に無限にある体験を塗り替え、包括しているのです。その体験の包括性は「足し算の製品」を遥かに超えたものです。

これこそが、エクスペリエンスデザイン時代の設計指針です。大して機能もついていないオーディオコンポなのに、その可搬性を持ち上げることによって、むしろ包括できる体験の数を増やしているのです。

もう一つ、エクスペリエンスデザインを設計する上で重要なのが、「実問題を解く」ことです。というのも、掛け算的に利用ケースを増やせるプロダクトの本質は、多くの場合、何らかの問題の直接的な解決に結びついているからです。ウォークマンであれば、いつでも音楽を聴きたい、聴ける場所を増やしたいという課題に対して、可搬性の向上による音楽体験空間の都市への輸出がそれに繋がりました。

ただし、その解決策は多くの場合、デザインであると同時にエンジニアリングでもあるような、なんとも切り分けがたい方法になりがちです。エクスペリエンスの観点から実問題を扱うと、デザイナーとエンジニアの立場がどんどん接近していくのです。なぜなら、テクノロジー的解決がなければ辿りつけない視座が多くなっているからです。

おそらくそれは、エクスペリエンスドリブンの製品が、先に挙げたコンピュータによる補助を受けながら、表層と深層を同時に扱うことで成立するからでしょう。iPhoneの使いやすさは、機能とインターフェースの美しさの双方から来るものに他なりません。

デザインは表層、エンジニアリングは深層の問題を解決するという時代は、そろそろ終わりつつあります。今後は表層と深層の両方を意識的に解決することなしに、新しいプロダクトは作れないのです。それは表層と深層の設計が事実上不可分になるわけですから、まさに産業革命以前のクラフトマンの時代に、「ものづくり」の人々が戻るということでもあります。

「魔法の世紀」においてエクスペリエンスとは、一つの重要なキーワードです。エクスペリエンスドリブンの製品は、単に体験を生み出す装置という意味にとどまらず、コンピュータのサポートによる表層と深層の一致の中で、生活や社会の中にある問題を解決していくための装置にもなっていくはずです。

この職業としてのデザイナーとエンジニアが接近していく流れは、表層と深層がコンピュータで再び繋がるようになった「魔法の世紀」の原理的な部分から発しているものであるがゆえに、強力な潮流であるように思います。「デザインエンジニア」の必要性は今後も高まっていくでしょう。

表層と深層の再接続がもたらすもの

表層と深層の関係が常に計算されながら緊密に動いていく世界では、一体どんなことが起きるのでしょうか。一つ言えるのは、20世紀を規定していたメディア〜デザイン〜労働の関係性にまつわるパラダイムが、新しい「表層–深層」関係のもとに吸収されていくだろうということです。

ここで注目したいのは、19世紀から20世紀にかけて活躍した3人の学者——マーシャル・マクルーハン、J・J・ギブソン[注49]、カール・マルクス[注50]——です。

注49 ジェームズ・ジェローム・ギブソン(James Jerome Gibson 1904–1979)。米国の生態心理学者。アフォーダンスの概念を提唱した。

注50 カール・ハインリヒ・マルクス（Karl Heinrich Marx 1818–1883)。プロイセン王国出身の経済学者。主著『資本論』などで資本主義社会を分析、経済学の研究に留まらない影響を後世に与えた。

彼らは各々の形で物質と人間の関係を探求しました。マクルーハンが主張したのは、物質としてのメディアそのものがメッセージ性を持ち、それが人間の身体の拡張性と結びつくということでした。J・J・ギブソンは環境と人間の対比関係について考え、物事の形態＝デザインがいかに人間の行動に影響するかという、「アフォーダンス理論」を提唱しました。そして、マルクスは唯物論の立場から、道具や交通などの物質的な条件がいかに人間の労働を規定しているかを考察しました。

しかし、この三者が考えたようなメディア—デザイン—労働の問題は、実はメディアがデザインを規定して、デザインが労働を規定するという形で、互いに関係性のある問題です。この三者の絡み合いのあり方は、20世紀の社会を大きく規定したパラダイムです。

しかし、コンピュータがさらに進化していく「魔法の世紀」において、このパラダイムは以前とは違った形で吸収されていくはずです。

例えば、ギブソンは事物の置かれた配置やデザインが人間をいかに駆動するかという観点から、様々な物事を記述しました。このギブソンの思想は、テイラー以降の工場労働では自然に実装されてきたものでもあります。職場の環境や労働者の配置のデザインが、いかに人間の生産性に大きな影響を与えるのかについては、20世紀の高度化するビジネスの中で徹底的に分析されました。それは、まさにデザインが労働をいかに規定するか、という問題にも関わっています。

エクスペリエンスデザインは、このアフォーダンス理論に対する「魔法の世紀」からの回答とも言えます。表層と深層がコードとコンピュータによってダイナミックに繋ぎ替えられ、表層をいじることがそのまま深層の変化に繋がることで、私たちはエクスペリエンスのデザインにおける自由度を大きく高めています。

一方で、本格的にエクスペリエンスデザインが浸透していく中で、デザインが人間の行動を規定する範囲の限界も見えてきています。特に人間集団における行動のデザインが極めて難しいのは、大規模イベントをフェイルセーフで運営するのが基本となっているイベント会社の人には「当たり前だ」と言われるかもしれないですが、やはり一つの知見です。私たちは環境の制御までは簡単に行えますが、人間の体験そのものを本当に制御しようとすると、現実にはあまりに複雑な条件が揃っているのです。

マルクスが『資本論』で考えたような労働と富の関係も変わるでしょう。例えば、クラウドファンディングはその典型で、あらゆるものがプロジェクトの単位に分解されて、中央集権的な再分配を経ないままに富の再配分が自発的に行われています。もちろん運営母体である企業は貨幣経済の市場原理において動いていますが、サービス内で行われている行為は、市場を経由しないボトムアップでの再配分に他なりません。イノベーションと再配分に関する点は、かつての共産主義の面影をそこに見るほどです。

こういう話は、この本で書ききれないような様々な問題を孕んでいます。そこで章を変えて、メディアとデザインの問題に限定して注目することで、新しい表層と深層の関係がどういう世界を生み出すのかを考えていきたいと思います。

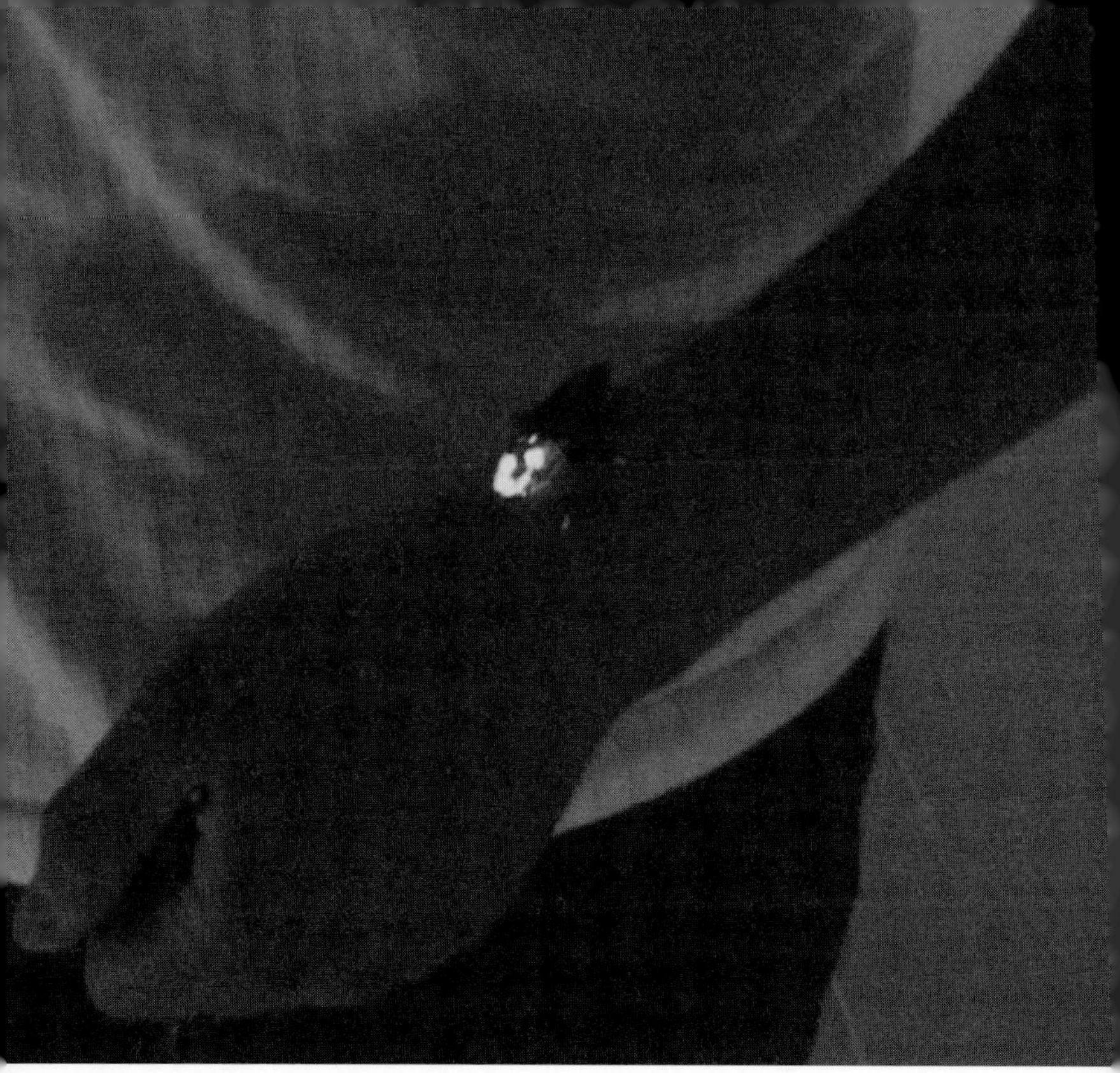

第 5 章

コンピューテーショナル・フィールド

メディアの歴史

現存するメディアで最も古いものは、壁画と彫刻と言われているそうです。両者の最も古いものはだいたい同じくらいの時期、今から約3万2千年前に登場しています［写真28］［写真29］。

とはいえ、壁画というのは一つの場所に塗っていくので、制作するのも鑑賞するのも大変です。時間の変化を表現するのも大変で、現代のハリウッド映画のような複雑なストーリーを描くのは非常に困難でした。時間変化を見せるには、洞窟をクルーズするようにして複数の絵を見せていくしか方法がなく、それは見る側の人間のイマジネーションと実際の移動を必要とするものでした。

一方、彫刻の方は一応持ち運びができますが、そもそも重いですし、石を木や牙などの堅いもので彫るという行為には相当な労力が要ります。ノートの端に描く落書きのように気軽にできるものではありません。

ところが、人類は徐々にメディア装置に「可搬性」を与えていきます。具体的には紀元前４０００年頃から存在が確認されている楔形文字を書き記した石板や、亀甲文字のような動物の体に彫るもの、そして青銅器に彫られた金文などです。しかし、これらはまだまだ重く、可塑性と可搬性に欠けていました。

一方で、この可塑性と可搬性がある一定の水準を超えたメディアは、既に新石器時代に登場しています。それは「土器」です。

土偶や土器の登場は、人類の創造性が変容した瞬間でした。土偶はそれまでのメディア装置に比べて軽いだけでなく、最初に粘土の柔らかい状態で形を作ってから焼けばいいので加工も簡単でした。この土偶の加工性と可搬性そして保存性のよさによって、面白いアイディアを思いついたり、審美眼を兼ね備えた人が、土偶の「創作」に参入することが可能になったのです。

当時の日本列島では、この粘土による創作が縄文式土器［写真30］という形で花開きました。縄文式土器は、狩りに行った男たちを集落で待っている人たちが作り上

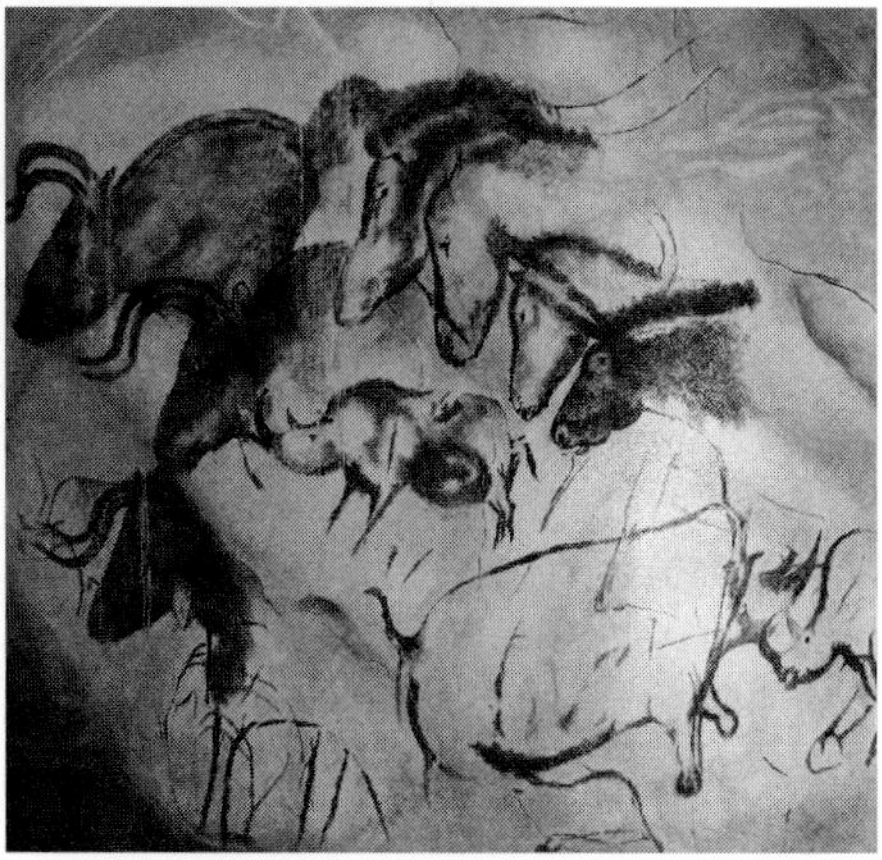

写真28―ショーヴェ洞窟の壁画

写真29―ライオンマン

げた文化だそうです。そこには、現在の携帯電話のデコに繋がるような、過剰な装飾性の文化が花開いていました。例えばこの力強い装飾文化を画家の岡本太郎[注51]が再評価したのは有名な話で、大陸文化の伝来以前の日本的な感性がそこに宿っているとされました。確かに、機能的で洗練された弥生式土器と比べると力強い装飾があり、ちょうどミニマリズム[注52]とメタボリズム[注53]で語られるような対比関係が明らかに見て取れます。

しかし、人類のメディア史における画期となったのは、やはり「紙」の誕生でしょう。西洋においては、まずはパピルスと羊皮紙という原始的な形での「紙」がほぼ同時期に登場して、人間に日々の出来事や歴

写真30 — 縄文式土器

史を記録する手段を与えました。

　ただし、両者は現在の我々から見ると、不完全なものです。まず、パピルスは片面にしか筆記できず、よく破れ、巻物としての可搬性は低いものでした。それでも昔の図書館は、このパピルスを巻いて置いていたようです。一方で羊皮紙の方は、正確に書けるし、保存もできるし、何よりもパピルスとは違って、持ち運びのときに折りたたむことができました。その意味で記録性も可搬性もよかったのですが、残念ながら一枚一枚職人が皮を剥いで延ばして作るためコストが非常に高いという問題がありました。また、パピルスよりはマシと言っても、レオナルド・ダ・ヴィンチの手記に描かれた絵を見ればわかるように［写真31］、現代の紙と比較すればインクの吸着も遅く、速記に向いているとは言えませんでした。その分、間違ったときに修正をかけるのは

注51　岡本太郎（1911－1996）。代表作に『太陽の塔』『明日の神話』など。
注52　1960年代に米国を中心に展開された美術運動。形態や色彩を極限まで抑制した表現が特徴。建築においては90年代にスイス・ミニマリズムが勃興し、ヘルツォーク&ド・ムーロン、ギゴン&ゴヤー、ピーター・ズントーといった建築家が注目を集めた。
注53　1959年に黒川紀章、菊竹清訓ら日本の若手建築家によって展開された建築運動。有機的な新陳代謝を取り入れた建築や都市計画を提案した。

楽だったこともあり、聖書や宝の地図を書く分にはなかなかよかったのですが、私たちの自由帳のようにパラパラ漫画のような落書きを描くのは、コスト的に、到底無理なことでした。

結局、西欧に「紙」が登場したのは12世紀頃のことで、中国から伝来したそうです。今ほど安くはなかったし、羊皮紙ほど保存性も高くはなかったのですが、それでもコスト的な優位性から一気に普及していくことになります。

面白いことに、この紙の普及期にカンバスも登場しています。カンバスは木枠に布を貼るだけなので大きな紙を作るよりも制作コストが安く、また保存性も高いことから、絵画表現の素材として好んで使われる

写真31—羊皮紙に書かれたダ・ヴィンチの手記

ようになりました。

そして、このカンバスの登場によって初めて、絵画は可搬性を持ったメディア装置に描かれるようになりました。それまでのメディアは壁より発色も悪くて、絵を描くのには向いていなかったのです。紙ですら強度も悪く当時はそうでした。

ここに至って、初めて西洋人は美しい一枚のイメージを他人の元に持ち運べるようになったのです。写実画は、この可搬性を備えたカンバスの発明なしには登場しなかったものです。これによって、誰かの顔を描いて飾っておいたり、何かの出来事を描いて皇帝に献上したりする発想が生まれたのです。それまでは、壁画の前に鑑賞者を連れてくるしかなかったのですから、大変に大きな進歩でした。

ちなみに、ここまで西洋を中心に歴史を語ってきましたが、これが東洋になるとガラリと様相が変わります。東洋では古くから紙が使用されており、保存性の高い紙染めの技術も早くから行われていました。日本でも国策として700年代には紙漉きが行われていたそうです。そのため、カンバスを作るまでもなく良質な紙が流通しており、屏風は保存のよい状態で刷られて、絵巻物もパピルスなどとは比較にならない美しさと保存性で描かれました。日本の貴族の日記文学がこれほど多く残されているのも、そもそもは同時期の西洋では望めない良質な紙があったお陰です。

さて、紙の登場の次に大きな変化だったのが、写真の登場です。ここに至って、人類がカンバスに向かってコツコツと描いていたような風景画や肖像画のイメージが、すぐに保存できるようになりました。さらに写真が発明された数十年の後には、カロタイプが登場して、写真は複製可能になりました。活版印刷[注54]で我々は既にベクターデータ（文字・線画）の印刷手法に関しては手に入れていましたが、カロタイプ以降の写真技術の獲得により、ラスターデータ（ピクセルで表現される絵）の複製が可能になったのです。そうなったとき、人々の認識能力や証拠能力、ひいては世界の捉え方が大きく変革されたのです。視座は正確に共有できるものに変わっていきました。

そこから映像の登場までは、ほんの50年しかありませんでした。ここからのメディア状況については、皆さんも知っての通りです。

以上、簡単にメディアの歴史を話してきましたが、ここからわかるのはどんなことでしょうか。それは、結局のところメディアの歴史というのは――「自由度」が高くなる方へと進化してきたということです。

硬くて持ち運びができない壁画や石板、作るのが難しい亀甲文字や楔形文字があった時代から、紙とカンバスの誕生によって可搬性の上昇と製作コストの低下が起こる時代が来て、作品を売買できる環境が整ったことにより、表現の価値が上昇していく。

19世紀になると映像が生まれて、音声と動的に変化する絵を表現できるようになり、それが21世紀になるとスマートフォンの登場により街中で持ち運べるだけの可搬性を備える——。

メディアというのは、この3次元空間の中で私たちがいかに時間と空間を自由に記述できるようにするか、そして身体性を伴った表現としてのメディアをどう拡張できるかを常に問われながら、自由度を高くし続けてきた歴史があるのです。

一方で、古くからあるにもかかわらず、量産コストやフリーハンドでの描きやすさなどで、現在も使われ続けている紙のようなメディアを見ると、メディアは自由度が高い限りにおいては生き残っていくということもよくわかります。

ところで、メディアの自由度が上がるときに、二つの意味で動的性質が上がっていくことに気づいた人はいるでしょうか。一つは、絵画や写真などの静止画から動画へ、というコンテンツ的な意味での「動」への変化です。しかし、それとは別に「可搬性」というメディアそれ自体という意味での「動」への変化もあります。

「映像の世紀」のメディア装置が動画の意味での「動」の自由度を飛躍的に上昇させ

注54　活字を組み合わせて作った版で、紙に文字や絵を印刷する技術。

たので、ついつい勘違いしがちですが、本当に人類の歴史でメディアの進化に大きな影響を与えてきたのは、むしろ「可搬性」という意味での「動」の自由度の発展でした。逆に言えばこの3次元空間での人間の行動やイマジネーションを制限しないということ、むしろこれこそが壁画から石板、石板から紙、あるいは映画からスマートフォンなどのモバイル端末への流れを駆動してきた、とても大きな要因なのです。

「魔法の世紀」における「動」の記述

この後者の「動」は「魔法の世紀」を考える上で欠かせない概念です。

例えば、映画のスクリーン上で、映像はだいたい24fpsから60fps[注55]（1秒間に24枚から60枚）くらいのフレームレートで放映されています。これは、人間の視覚が認知できる限界がそのあたりであるためですが、一方で物質としてのスクリーンを眺めてみると、同じ場所に留まったままです。スクリーンそれ自体の物理空間における速度はゼロなのです。一方で、歩きながらスマートフォンでインスタグラムの写真を眺めている人がいたとしましょう。その人のスマートフォン上の画面のフレームレートはゼロですが、その画面の物理空間における移動速度は歩く速度に一致しています。

　もう少しイメージしやすい言い方をしてみましょう。流れるプールの中にいる人を思い浮かべてください。仮にその人が浮き輪で浮いたまま流されていたとしましょう。すると、当人の動き（フレームレート）はゼロですが、プールの流速が力を与えてくれるので、その移動速度は流れるプールの流速に一致します。一方で、流れるプールの流速が止まってしまい、当人がクロールしながら移動していたらどうでしょうか。流れるプールによる力はかかりませんが、当人のクロールによる手足の動きとプールの媒質の関数が移動速度を与えるはずです。

「魔法の世紀」におけるメディアを考える際に、僕はしばしばこの物理空間における「動」を考えざるをえなくなるのですが、その際に思い浮かべているのが、この流れるプールの流速のようなものです。[注56]というのも、人間は手足を動かしてクロールできますが、物体はアクチュエータを取りつけない限り、流れるプールで浮き輪で浮かん

注55　80年代に『2001年宇宙の旅』『ブレードランナー』などのSFX担当で知られるダグラス・トランブルが、70mmフィルムを60fpsで動かす映像方式「ショースキャン」を開発。自身の監督作品『ブレインストーム』への導入を試みたが、上映機器の制約から実現しなかった。現在ショースキャンの技術は、一部の博物館や博覧会の上映作品で使われている。

でいる人間のように、自ら動こうとはしないからです。

物理空間にそういった媒質の存在を想定するのは、科学史に詳しい人は知っているように「エーテル」の考え方です。このエーテルという存在は、光の動きを説明するために持ちだされていたもので、科学史的にはアインシュタインの特殊相対性理論の発表によって否定されたものです。しかし、このエーテルを擬似的に形成するイメージで、僕は自分の研究を進めています。『Pixie Dust』で用いた音場の定常波などは、まさにこの考え方を背景に作ったものです。最近では「エーテル速度」という言葉を使って、メタファーを説明していたりします。

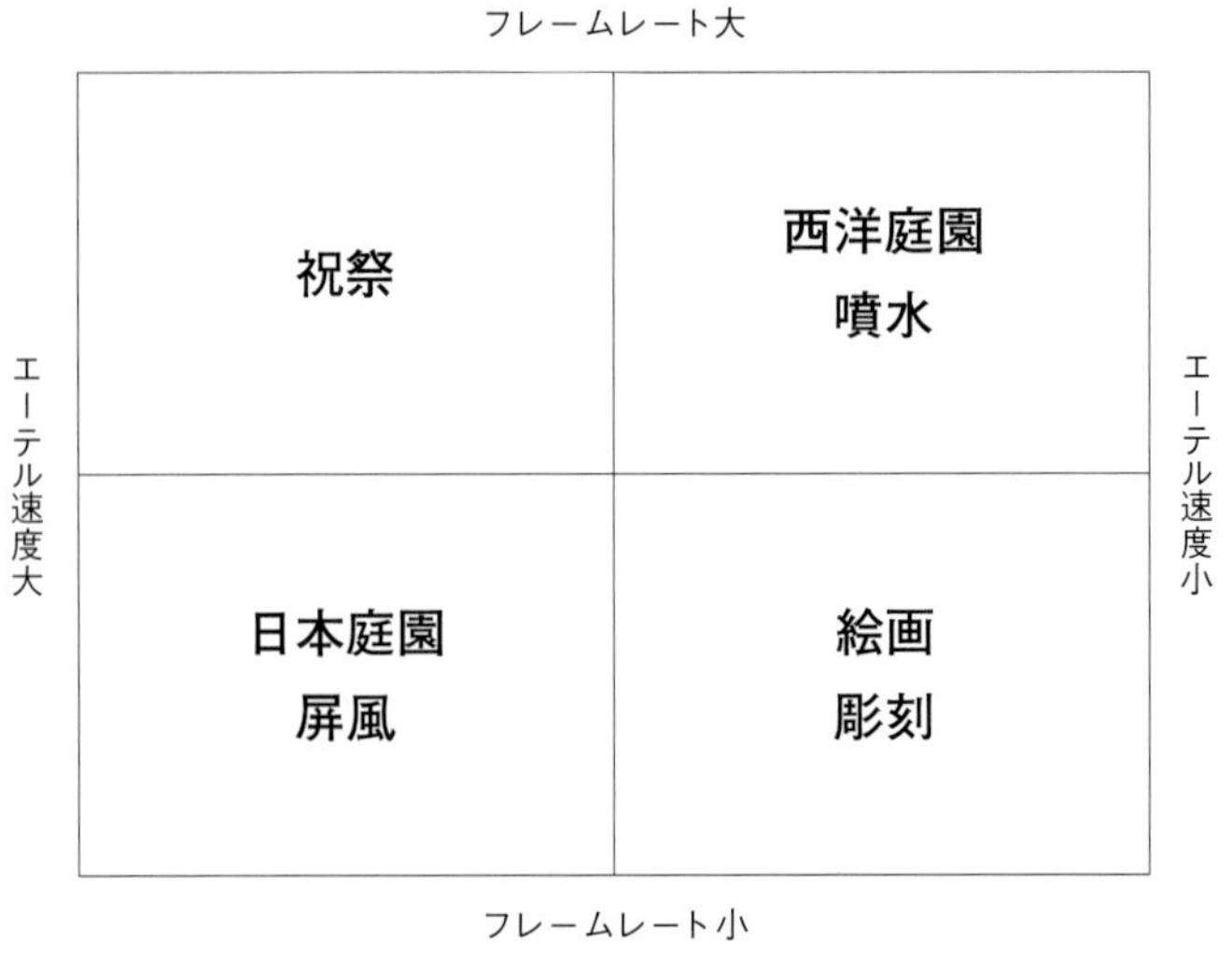

図2―エーテル速度とフレームレートによるメディア分析

さて、このフレームレートの「動」とエーテル速度の「動」の2軸をとって、これまでに登場したメディアを分析してみると、かなりきれいに動的なモノを扱う際の文化的な偏りが見えてきます［図2］。

まず右下にあるフレームレートもエーテル速度もゼロの領域を見てみましょう。ここには壁画や彫刻が入ります。物体としても表現としても静止している、人類のメディアの自由度がまだ低かった時代から存在している原始的な表現です。面白いのはここからで、西洋では「動」の自由度を上げるときに、フレームレートは上昇させましたが、エーテル速度はあまり上昇させませんでした。逆に東洋ではフレームレートをあまり上昇させずに、エーテル速度の上昇に力を注いでいます。

このメディアのあり方の差異は、西洋と東洋の庭園の違いによく現れています。西洋庭園と聞いて、皆さんはどんな風景を思い浮かべるでしょうか。例えば、迷路のような常緑の刈り込み、花畑、石畳、池、その背後にそびえる立派なお屋敷……しかし、日本庭園との対比で特異的に重要な要素は「噴水」です。

重力に逆らい吹き出す水であり、場合によっては石像で飾り立てられ、広場の中央

注56　機械の内部で与えられたエネルギーを物理的な運動に変換する機構。油圧シリンダーなどが挙げられる。

に配置される、そんな象徴的な存在です。日本人にはあまりわからない感覚かもしれませんが、西洋では噴水は非常に重要な存在です。ローマのトレヴィの噴水や、ブリュッセルの小便小僧など、あらゆる重要なところにモニュメントとして置かれています。

日本でも西洋文化の影響を受けてから、あちこちの都市建築で噴水が見られるようになりましたが、「噴水」を日本文化の伝統の中に探すのは困難です。日本最古の「噴水」は19世紀半ばに作られた兼六園のものですが、そもそも西洋の歴史は紀元前2000年ですから、3000年以上の文化の違いがあります。しかも、噴水に対応するような要素すらも、東洋ではなかなか見つかりません。「ししおどし」ではないかと考える方もいるかもしれませんが、あれは茶の湯を沸かすための井戸や湧き水と同等の配置要素にすぎません。噴水と井戸とでは、単に水を扱うというくくりに収まらない思想の違いがあります。

その一方で、日本庭園の「動」にも、西洋庭園と比較して興味深い要素があります。それは四季の移ろいを取り入れ、借景などを用いて空間全体を形成していく手法です。日本庭園で設計されるタイプの「動」は、桜が咲くだとか紅葉が発色するだとかの、季節ごとに変わるものです。庭園を取り巻く風や気温の変化などの花鳥風月が、ある種のランダム性を帯びながら、庭を変化させていくのです。

この、西洋がモノに着目し、東洋はそのモノを取り巻く要素としての空間（エーテル）に着目するという傾向は、かなり両者の文化の深いところに根ざしているようです。

例えば、西洋文化に特有の傾向として、思考を行う際にまずフレームを形作る発想があります。これはギリシア時代から近代科学まで続く習慣で、哲学や聖書によって世界をリジッドに規定していく考え方を彼らは好みます。今の議論で出てきたエーテルのような、モノの周囲で移ろいゆくものの影響を丁寧に取り除いて、対象物を考え抜くのです。こういう発想は、猛威としての自然とそれに挑む人間という対比で世界を捉える一神教的な発想に行き着きます。そして、この世界観はやがて「一人の神が万物を作ったとすれば、自然がどうやって神の英知によって作られたかを理解せねばならない」という発想に辿り着くことになります。

それを思想として結晶させたのが、17世紀の哲学者フランシス・ベーコン[注57]です。彼の主著『ノヴム・オルガヌム』には「人間は自然の下僕であり、解釈者であるということ、その中で自然を支配するために自然の実体を知る必要がある」という話が出てきます。この「自然を征服し、服従させる」という発想は、ニュートン力学によって、観察と真理が従来の哲学と接続されデカルトの幾何学などと組み合わさり、実験科学によって世界の真理を探究していく方針として後世の科学技術思想に大きな影響を与えました。

ある意味で「噴水」というのは、自然界の重力に縛られたこの世界で、その形をもって抗う象徴と言えます。ときに人類の社会に水害や干害を引き起こしてきた、制御が極めて難しい水という存在を、人為的な形で庭園の中に設置してしまう。秩序ある建築様式、すなわち「静」のただ中に、制御された流体を配置することで「動」を作ってしまう。制御された自然、とても西洋的なモチーフです。

逆に東洋の方は、先ほども述べたようにモノを取り巻くエーテル、間や場のような空間変化に着目するので、とにかく見えるものは不変であっても、見えないものは動いているというような話が大好きです。季節は移ろいゆくし国家も盛衰するかもしれないが、それでも山河はあり、またこの庭に花は咲くのだ、という感じです。ここに花鳥風月を愛でる私たちの文化に連なる美意識の根幹があるように思います。

さて、ここまでモノを物理的に移動させる存在を「エーテル」と呼んできましたが、これを現実の物理空間で実装する場合には、具体的には物理場をいかに制御するかが重要になります。

その際に、僕が博士論文で考えたテーマは「コンピューテーショナル・フィールド」というものでした。通常のコンピュータがモノや人を扱うときには、物体と人間の二分法を設定して、その境界にあるインターフェースを考えるような発想をとります。グラフィカルユーザーインターフェースなんかがよい例です。

しかし、従来のインターフェースという考え方は、人間と物体を分けて考えていますが、本当は人間もまた物体です。やはりコンピュータによって人間も制御できるはずだというのが、「魔法の世紀」の考え方を敷衍したときに、当然出てくる結論なのです。

だから、僕は物体と人間の二分法ではなくて、むしろ物体と情報のやり取りを考えて、その中間インターフェースとしてある形式的な「場」――より正確には、コン

注57　フランシス・ベーコン（Francis Bacon　１５６１－１６２６）。イギリスの哲学者。「知識は力なり」の言葉で知られる。

ピュータによって計算することで、「場」の捉え方が再現可能になるような空間――を考えました。そして、物体も情報も究極的には、この「場」によって一元的に記述可能なものであると考えたいのです。

もちろん、物理学に詳しい人であれば、物理現象を「場」で捉える発想は別に新しいものではない、と言うはずです。実際、20世紀の物理学や制御工学の分野では、それぞれの専門家がその専門分野において、「場」の考え方から様々なアプローチを行ってきました。

ただ、ここで重要なのは、各々の「場」の記述がコンピュータを用いると、音であれ電磁気であれ、そのアルゴリズムやデータ構造が等価になるという点です。しかも、この「場」の記述は、コンピュータでは簡単に扱えます。例えば、その基本的な処理として使われるのが、フーリエ変換[注58]によるホログラムの合成です。はっきり言ってしまえば、コンピュータにとってはどんな「場」であれども、単にフーリエ変換で扱うデータの周波数が異なるだけであり、ほとんどの物理量は同じ手法で解けてしまうのです。

あらゆる「場」の概念は、統一的な場の記述法で描くことができる。これは数学的には当たり前のことですが、その意味するところは非常に大きいのではないでしょうか。

僕が博士論文で書いた「コンピューテーショナル・フィールド」は、そういう様々な現実の場を捉える「ひな形」になる表現形式のことです。「場」の概念は、物理的な「空間」と「時間」の関係、つまりは「動」と「静」を統一的に扱うことができます。それと同時に、これはいかにも西洋科学らしい人間とモノを峻別する発想の延長線上にある「ユビキタスコンピュータ」に対して、同じような発想に基づきながらも、モノと人間を区別せずに一つのオブジェクトとして扱い、その周囲にある見えないもの＝エーテル的発想から現象を捉えていく東洋的な考え方であると思っています。

注58　ある任意の時間信号を、その信号に含まれた周波数成分に分解して表現するための変換、またはその変換した結果の関数。音声圧縮のアルゴリズムなどにも応用されている。

コラム

計算機にアップデートされる美的感覚

メディアが変化すると、人間の美意識も変化していきます。美術史やメディア史でそういう話を聞いたことがある人もいるかもしれませんが、実はごく最近でもそういう現象は起きています。

例えば、デジタル以降の色味に対する感覚の変化が挙げられます。

昨今、デザイナー界隈でよく言われているのが「デジタルの色味で育った最近の世代は、きれいな青と赤に慣れすぎている」という話です。DTPやCADが普及して以降、液晶ディスプレイと印刷の発色の違いがデザイナーにとっては重要な問題になりましたが、その変化は人間の美的感覚そのものに影響を与えているようなのです。

実は、LEDや液晶のような光の表現では、赤・緑・青は非常にきれいに出ますが、印刷では混色してしまいきれいに色を表現できません（本当に赤や青を印刷したい場合は、「特色」と言われる特別な印刷をします）。これは、アナログにおける色の表現が「減色混合」と呼ばれる手法であり、デジタルにおける色の表現が「加色混合」であることによります。この「加色混合」の手法に慣れて育った世代は、赤・緑・青のような色に対して、かつての世代が受けたインパクトとは違う印象を受けるようになるというわけです。

さらに、形についての感覚も変化しています。

例えば、かつて細いフォントは視認性が悪いと批判されていましたが、ディスプレイが高精細になるにつれて、そうしたフォントは軽くて美しいとされるようになりました。また、グラデーションの表現なども、かつては段状に表示されてしまい、美しいとされていなかったのですが、最近は美しいとされ始めています。

こういう話からもわかるように、実は人間の美意識は、技術的な制約条件によって規定されていて、メディアの変化が我々の感性をアップデートしていくのです。私たちはどちらを使っても構わないプロダクトの場合でも、アナログよりはデジタルに近い美意識の表現を好み始めています。

ただし、僕個人の見解を言えば、色と形のデジタル／アナログの差異は、ディスプレイがさらに高精細になるにつれて、自然に解消されていく気もしています。特に反射型ディスプレイの進化は、こういう紙のデザイン感覚に近い手法の復権を強めるのではないでしょうか。

むしろ僕が気になるのは、最近になってより大きなレベルで台頭している感覚です──それは動的メディアにおける、「動」と「静」を対比する美的感覚です。

例えば、デジタルサイネージのモーショングラフィクスは、明らかにこの二つを対比的に使ったものが増えています。駅の柱や電車の中のサイネージでは、歩行者に訴求するシーンでは「動」、広告メッセージを認識させるシーンではポスター的な要素の強い「静」が繰り返されています。一方で、古典的な街頭広告のディスプレイは、交差点の横断歩道などで静止して鑑賞させることを前提としているので、よく動く広告が好まれています。

この「静」と「動」の対比が生じる理由を推測するのは、決して難しくありません。人間が先ほど述べたエーテル的な意味で動いているときには、フレームレート的な意味で動かない「静」の表現が認識しやすいでしょうし、人間がエーテル的な意味で止まっているときには、フレームレート的な意味で動き回る「動」が認識しやすくなります。そして、街中では我々はエーテル的な意味での「静」と「動」を繰り返す存在です。街中においてディスプレイと我々は、互いに自由な距離感と動きを保ちながら接触するのです。したがって、ディスプレイに映ったコンテンツは、我々が「静」のときに「動」を見せて、我々が「動」のときに「静」を見せるようになったと考えることができます。

この考え方は、「映像の世紀」の象徴的メディア装置である「映画」にも応用できます。映画館において、我々は座席に固定されています。そのため、映画館で見るコンテンツは常に動き続けていました。つまり我々はエーテル的な意味で「静」として存在しているがゆえに、そのコンテンツはフレームレート的な意味で「動」だったのです。没入するために我々の動きを止め、暗い部屋の中で意識を映像のみに投射する。まさに、動と静の対比関係を劇場は描き出しています。こういう発想で我々が映像を捉えなかったのは、「映像の世紀」には、エーテル的な意味での「動」をデザインに組み込んでいくのが非常に難しかったからにすぎません。

しかし今世紀に入り、デジタルサイネージや安価な液晶ディスプレイの普及によって、まるでナム・ジュン・パイクのビデオ彫刻のように、生活のあらゆるところにメディア性を持った要素が増えました。

この「静」と「動」を書道のトメ、ハネのように、鮮やかに対比させていくセンスは、「魔法の世紀」における重要な表現になる予感がしています。つまり、エーテル速度とフレームレートの両方を意識し、それをデザインできる能力は、デザイナーの重要なスキルとして位置づけられることでしょう。古典的にはゲームやイベントなど人の動きに関わるような分野でノウハウとして溜まっているようなものが、今世紀もっと一般的なデザインへ流れ込んでくるのではないかと考えられます。

ちなみに、動と静のパースペクティブという視点で見たときに興味深いのは、スマートフォンです。スマホそのものは、コンテンツにおいて情報の流速を可視化する装置であり、まさに「動」です。しかし、それをハードウェアとして手に持ったとき、握りしめて行動を規定されたスマホも、それを見つめる私たちの視線も「静」です。そう、スマートフォンは実はテレビや映画のように「静」に訴えかける「動」のメディアなのです。昨今、スマートフォンで受動的な単方向コンテンツが求められ始めているのは、そんな理由があるように思います。

その一方で、我々は今スマホを持ちながらも動きたがっているようにも思います。これが「歩きスマホ」などの問題でも表出し始めていて、ここでいかにビジュアルにおけるウォークマンのような装置を再発明できるのかが問われている気もしています。とはいえ、それがHMDのようなものか、それとも環境からのアプローチになるのかはわかりません。ただ、「動」と「静」の議論の中にある問題は、こういうふうに次のメディア装置の形を示唆しているのです。

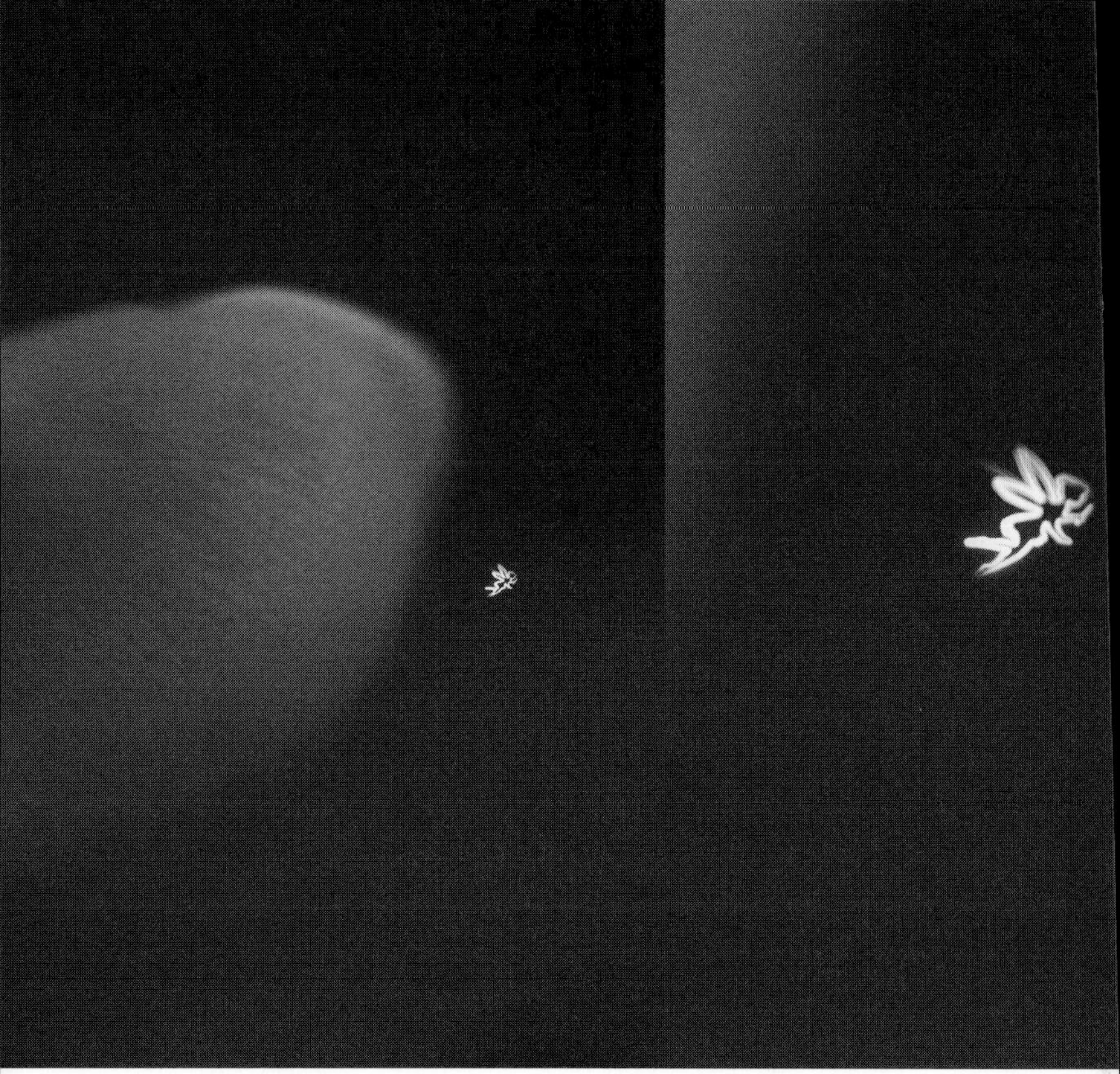

第 6 章

デジタルネイチャー

「人間中心主義」を超えたメディア

先日、とあるシンポジウムで大学教授から「あなたはデジタルの強みばかり言うが、アナログにはアナログの良さがないだろうか。例えば、レコードにはＣＤにはない暖かみがあると思う」という質問をされました。それに対して僕はこう答えました。「それは現在のＣＤの規格が、音の解像度を低く設定しているだけです。現代の技術、もしくはこれからの技術発展で音の解像度が高いＣＤを作れば、レコードなんかより遥かに生の演奏の情報が再現された再生装置を作れますよ」

ＣＤに生身の人間の魅力が吹き込まれていないのは、デジタルの問題ではなくて、コストをかけずに大量生産したいという資本主義の問題にすぎません。実際のところ、20世紀に我々の周囲に生まれた複製装置は、どれも人間の感覚器の解像度を基準にして作られています。

例えば、最近のアニメやゲームのビジュアル表現におけるコマ送りは、24－60ｆｐｓが基本となっています。これは人間の目が、連続した画像の連なりを映像と錯覚するときの基準が、１秒に24－60回程度の書き換えだからです。この数字に従って動画を作れば、滑らかに動いているように見えるのです。音についても同様で、約40kHz程度のサンプリング周波数があれば、人間の可聴域である約20kHzの音は充分に再生可能です。

このように私たちを取り巻くメディアは、人間の感覚器がギリギリ違和感なく感じ取れる範囲に表現の閾値を設定することで、できるだけ低いコストで情報を複製してきたのです。

「アナログにはデジタルにはない生々しさがある」とは、その過程でバッサリと切り捨てられた要素の中に、人間の感覚器官にとって重要な部分が含まれていた可能性があるという指摘です。例えば、低音の周波数が生み出す空気の揺れなどは、まさしくそういうものかもしれません。

しかしそれは、単純に周波数をもっと上げられるようになれば解決する問題です。それよりも重要なのは、そういう話ですらも結局は「人間中心主義のメディア意識」を脱却できていないことです。つまり、今のメディア装置というのはほぼ人間の感覚器の写像いわば人の生首を裏返しにして置いたものでしかないのです。

では、人間中心主義では「ない」メディア意識とはどんなものでしょうか。

それを示唆するMITの研究［写真32］があります。20000Hz（20kHz）の時間解像度のカメラを用いて、ビデオの映像からその場に流れている音を復元する研究です。ちなみに、一般的なカメラの時間解像度は60Hzですから、ざっと33倍の解像度を持っていることになります。彼らが開発したアルゴリズムを用いると、画面のフレームごとに含まれるわずかな差分をフィルタリングして積分し、動きの変化を拡大させて捉えられるようになります。例えばBGMが流れている部屋で、その音が部屋にある観葉植物をわずかに振動させている様子をビデオカメラで撮影すれば、マイクを使わずにその振動からBGMを復元できてしまうのです。

繰り返しますが、人間の感覚にとって意味のある時間解像度の周波数は、あくまでも20000Hzの1／333である60Hzしかないので、このビデオカメラが捉えた映像は、人間が眺めても何の意味もありません。しかし、モノの世界では人間の知覚できない領域におい

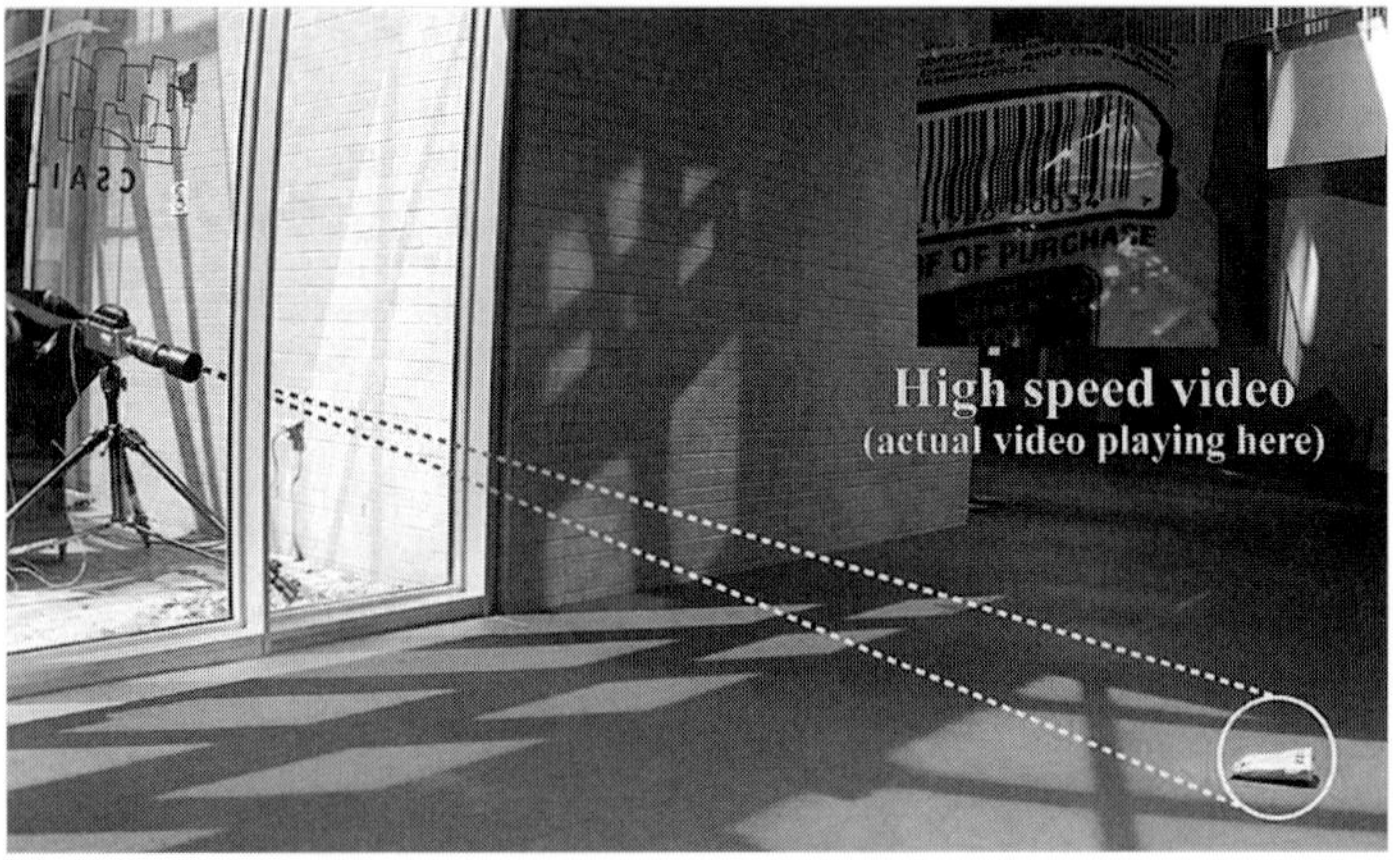

写真32—The Visual Microphone: Passive Recovery of Sound from Video

て、モノ同士が互いに影響を及ぼし合っており、超高解像度のカメラを用いるとその影響関係を解析できるのです。

人間の身体的な解像度を超えた領域にまでメディアの性能を引き上げると、とたんにこういう不思議な現象が起きるようになります。

少し専門的な言い方をすると、これは光の電磁場から与えられる情報に、音波の場による影響が含まれており、人間のスケールを超えたセンサーでそれを検出した、とも言えます。一方で、僕が研究しているのは、主に音波と光の場です。先ほどは視覚情報から音を復元する例を挙げましたが、逆に音によって物体を動かしたり視覚的に観察可能なディスプレイを構築できるというのが、僕のここ数年の研究テーマです。

光が影響するのは視覚、音が影響するのは聴覚、という区別は「映像の世紀」以前の、「人間中心主義のメディア観」の時代の発想です。それに対して僕が夢見ているのは、「音が再生される光プロジェクター」や、「音が聞こえてくる触覚ディスプレイ」といった、人間の感覚の境界を飛び越えたメディアです。つまり、一度人間の感覚器の写像によって縛られた制限を取り払うことで他に見えてくるものは何かという問題提起です。

また、ここから「映像の世紀」とはどういう時代だったのかも明確になります。それは映画館の大きな画面でイメージを共有するという行為に象徴される時代でした。テレビが家庭に普及してビデオで映像が見られるようになっても、本質は変わりません。そこでは結局、2次元の視覚イメージを共有することで、人々が連帯していたからです。しかし、これまでの話からわかるように、通常の映像などの2次元の視覚イメージは、記録メディアの空間方向の解像度を低くせざるをえない状況で生まれた不完全な表現にすぎません。そもそもフレームレートの問題以前に、立体をそのまま記録できない時点で解像度はだいぶ下がっているのです。

20世紀は低解像度に限定された視覚イメージの中で、マスメディア上の様々な現象が生まれてきた時代です。それは聴覚においても変わりません。私たちはCDやレコードのような低解像度のメディアを前提にして、様々なものを記録してきました。20世紀の文化とは、人類が記録メディアとその複製技術を手にしたものの、技術的な制約から人間の感覚器の写像程度の低解像度のテクノロジーに最適化する形で生み出されたとも言えます。

しかし、これからは違います。従来よりも遥かに高い解像度のメディアを我々は手にしており、再生装置の原理も大きく変化しています。「人間中心のメディア装置」という足枷が、ついに破壊されつつあるのです。

高い解像度の世界で起きていることを、もう少し丁寧に考えてみましょう。

　前章で登場した「コンピューテーショナル・フィールド」の考え方を導入します。この「場」の考え方を用いることで、複数の場が作用するポテンシャルの分布を記述できるようになります。つまり、人間の感覚に作用する現象がどのように生じうるかを、複数の感覚器にまたがって提示できるようになるのです。

　これは複数の物理現象を混在させることを考える上で、とても役に立ちます。例えば、僕が最近作った『Fairy Lights in Femtoseconds』［写真33］という装置があります。フェムト秒（10の-15乗秒）の単位でプラズマを発生させて、それでホログラフィックな合成を行い空中に輝点を浮かせて制御するというものです。

　このプラズマという現象は本来とても危険なもので、人間がそのまま触ると激しく身体を傷つけるような感電

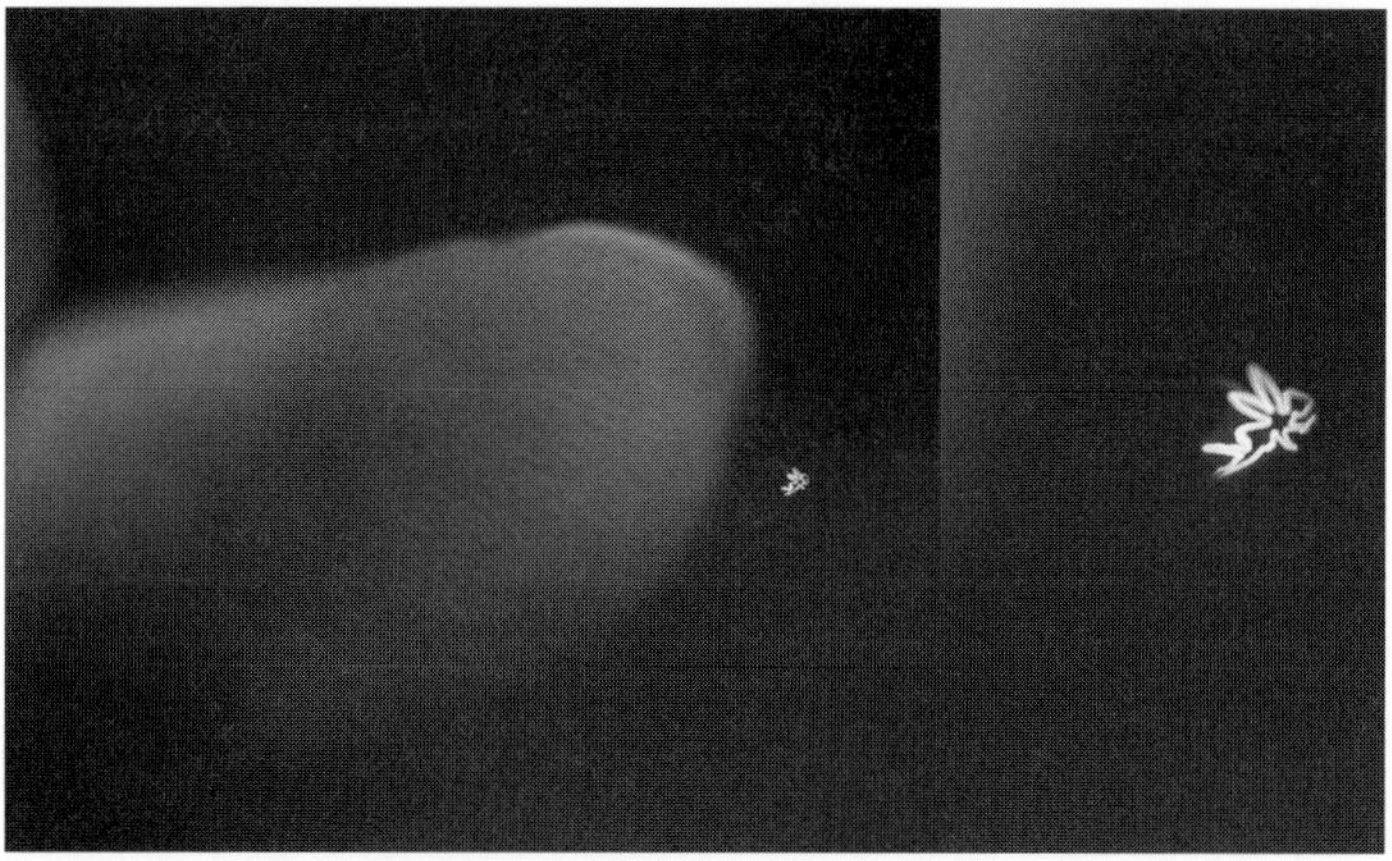

写真33―Fairy Lights in Femtoseconds

や火傷を引き起こしてしまいます。しかし、フェムト秒であれば、〝プラズマの触り心地〟を確かめることが可能になります。従来のメディア装置の発想では視覚に属するとされてきた光が、プラズマの場に浮かび上がることで位置とエネルギーを制御されて、触覚的に体験できるのです。

ここではもはや光が視覚に、音が聴覚に対応するような単純な関係ではなくなっていることに注意してください。人間の感覚器の解像度を超えた範囲で音や光を扱うと、物理量の異なる場を重ね合わせて制御された現象から、新しい感覚を味わえるようになるのです。

僕がこういった作品で目指していること――それは、人間の感覚器の解像度に合わせて作られた従来のメディアの定義を、物理現象の本質に遡ることで、新しい定義へと更新することです。それは、場と場の間に人間の感覚器の制約を介在させないメディア装置の発明とも言えるでしょう。

ここに重要な視点があります。つまり、私たちの感覚器程度の解像度にすぎない領域からコンピュータを解放することで、物質が本来持っている性質が再現可能になるということです。

この超高解像度の世界では、光が音の表現に作用したり、音が光の表現に作用したりします。正確には、そもそも自然界はそのようにできているのに、単に私たちが自分たちの感覚器官の解像度にメディアの再現性を押し込めて、その領域を切り捨ててきただけなのです。したがって、この領域におけるコンピュータの制御は、物質世界そのもののプログラミングに近づいていきます。作品紹介にあるコロイドディスプレイのように音の超音波振動によって光の視覚質感を再現する装置などは、この考え方に連なるものです。

「映像の世紀」とは、人間に指針を合わせてメディアを設計する時代でした。しかし、「魔法の世紀」では人間の感覚を超越した設計を行うことで、メディアが物質世界自体をプログラミングできるようになります。そして僕は、コンピュータが制御するモノとモノ、あるいは場と場の新しい相互関係によって作られ、人間とコンピュータの区別なくそれらが一体として存在すると考える新しい自然観そしてその性質を「デジタルネイチャー」と呼んでいます。

コード化する自然：デジタルネイチャー

今年の春から、僕は筑波大学の図書館情報メディア研究科／情報メディア創成学類に自分の研究室を立ち上げました。この研究室を始めるときに、ラボラトリーの名前として選んだのがこの「デジタルネイチャー」という言葉でした。

この言葉には、僕が考える「魔法の世紀」の世界観が象徴されています。「魔法の世紀」が21世紀という「時代」を表した言葉なら、デジタルネイチャーは21世紀の「世界」を表した言葉だと思ってください。

「魔法の世紀」はリアルとバーチャルの対比構造が、コンピュータによって踏み越えられ、作り替えられていく世界です。とすれば、そうして作り替えられた「未来の世界を表す固有名詞」が必要になります。それこそがデジタルネイチャーなのです。

ちなみに当初は、コンピューテーショナルネイチャーという名前にしようと思ったのですが、デジタルという言葉は今や「バイナリの」という意味ではなく「計算機の」という形容詞の方が意味的に強くなっているように思い、呼びやすさも優先してデジタルネイチャーとしています。サザランドの時代なら〝Mathematical〟と呼ばれていたでしょう。

さて、このデジタルネイチャーという言葉から、かつてのサイバーパンクのような世界を想像する人もいそうですが、僕の思い描く世界は雰囲気が少し違います。

例として、スイスのチューリッヒ工科大学で行われている研究を紹介しましょう。

これは物体の重心についてのアルゴリズムを使って、３Ｄプリンタで出力される物体の重心を調整する研究[引用15]です。この３Ｄプリンタを用いると、様々なものがコマに変わってしまいます。もし、あらかじめ重心を調整していないマテリアルで同じ結果を得ようとしたら、外力によって重さの不均等を打ち消す程度に合力を調整する必要があります。これはアナログ的な結果ですが、デジタル要素を含んだアウトプットになっています。

もう一つの事例は、僕自身です。実は最近、日本でまだ症例数が少ないという、眼球内にコンタクトレンズを埋め込むインプラント手術を受けました。このコンタクトレンズを制作する際、僕の眼球と視力に合わせたレンズの形状の計算をコンピュータで精緻に行いました。これも非電化ですが、デジタルの恩恵を強く受けていると言えます。

この視力にまつわる例は、捉え方によってはデジタルファブリケーション[注59]です。計測器が眼球の形状や曲率を精微に計算機処理できるようになった結果、人間の目の中に入れてちゃんと機能できるようなレンズを設計できるようになったからです。例え

注59　コンピュータと接続された工作機械によって、様々な素材を加工する技術。

ば他にもピンホールはF値[注60]が高いためメガネの役割を果たすのですが、そのときにピンホールの分布を変えて入ってくる光の量をコントロールしたり、一人一人の目に合わせた位置に作るなどの処理はデジタルファブリケーションで可能でしょう。それをレーザーカッターなどで加工すれば、コンピュータ計算を用いてアナログに実装した、ピンホールメガネを作ることができます。

こうした事例からわかるのは、現代のコンピュータが我々の想像を遥かに超えたところで、現実世界を制御する力を持ち始めていることです。しかも、それがデジタル制御されているかいないかは、まるで認識されません。コマは回してみるかCTスキャンで見てみないと細工されているかどうかわかりませんし、僕の目もアップで撮らないとレンズが入っていると視認することは不可能です。

こういった事例を踏まえた上で、特に重要なのが、こういうデジタルネイチャーの到来が、私たちが得られる情報のあり方を大きく変えて、世界像の認識を変革する領域にまで達し始めていることです。デジタルとアナログの入り混じった、人間とコンピュータの主従を超越した世界では、我々の認識やコミュニケーションスタイルそのものをアップデートしなくてはいけません。

例えば、インプラント手術によって僕の視力は2・0を超え、目の前の風景は大きく変わりました。旅行に行けば、他の人には見えない看板の文字が読めるし、地平線近くの景色も見えるようになりました。また、視力が向上したことで、新しい発見もありました。その一つが、頭が働いていないときは視力が劇的に低下することです。不思議なことに、寝覚めの悪い朝や、疲れている夜には視力が下がってしまうのです。どうやら人間の視覚能力は、光学的な情報を得るだけではなく、それを脳内で変換しパターン認識する過程まで含めたものであるらしい——こういうことが理屈ではなく実体験として理解できてしまうのです。

一方で、こういったアナログな物理世界をデジタル的に制御する手法の、「逆のやり方」もまた存在します。

ＭＩＴが最近行った研究[引用16]がそれに当たるでしょう。彼らは、レンズアレイ[注61]を用いたディスプレイから出る光線を調整して出力することで、ちょうど網膜上に焦点が結ばれる技術を開発しました。これにより、視力の低い人でも正しい焦点距離で像を捉えられるため、メガネを使わなくても離れた場所のディスプレイを見ることが可能にな

注60　レンズが光を取り込む穴の大きさを示す指標。小さいほどレンズは明るく、シャッター速度を速くできる。
注61　レンズエレメントを並べて像を重ね合わせて、全体で一つの連続像を形成したもの。

ります。

こうした研究からは、これからの世界では一つの問題を解こうとしたときに、二つのアプローチが考えられるということがわかります。

一つは、コンピュータ計算で作られたインプラントやピンホールメガネのように「デジタル処理されたアナログ」です。もう一つは、ディスプレイそのものを視力に対応させた「アナログな物質を変化させるデジタル計算機」です。もはやデジタルなアナログか、アナログなデジタルかというのは、コスト計算の後にくる選択の問題でしかないのです。

このように、目の前の世界にある問題を、デジタルとアナログを行き来しながら解決していくのが、デジタルネイチャーの時代の特質となるでしょう。

僕の考えるデジタルネイチャーとは、ユビキタスコンピューティングとプリンティングテクノロジーによって再構成され、人間がコンピュータを操ったり、コンピュータが人間を操作したりする自然のことです。そこには、電化か非電化かにかかわらず、何らかの計算機の作用によって生じてきた万物が含まれていて、デジタルネイチャー固有の独特の性質をもっています。

その背景には、世界の構成要素である物質や、そこに作用する場などの性質が、コンピュータでかなり精緻にコントロール可能になりつつあるという技術的なブレイクスルーがあります。つまり、デジタルかアナログかにかかわらず、全てがコードによって記述されていく時代が来ようとしているのです。

それは、あらゆるものが計算機的な性質を秘めるようになる事態と言えるでしょう。人間も例外ではありません。身体の構成要素である物質は、構成や素材の水準から制御されるようになり、その一方で、環境側からのアクチュエーションも盛んに行われ、また人間はロボットの代わりに使用されるはずです。我々の存在自体は、外在的にインターネットに限定され、インターネットこそが人間の総体であるともいえるかもしれません。

メディアについての考え方もこれまでのものから大きく刷新されます。モノと人間を分けて、「メディアとそれを受容する人間」という対比構造の図式で考えるような、「人間中心主義のメディア意識」は変化を迫られるはずです。なぜなら、人間はデジタルネイチャーの世界においては、せいぜい計算機で処理されるアクチュエータであり、認知的なロジックを持ったコンピュータにすぎないからです。

例えば、機械を使ったOculus Rift[注62]の体感コンテンツとして、様々なアトラクションが作られていますが、機械でなく人間を使ったコンテンツもあります。

その一つとして、ドイツの研究所・HPIの研究にHaptic Turk[引用17]［写真34］というものがあります。これは、人間をアクチュエータとして用いたよい例です。

この装置では、音楽ゲームをする感覚で人間をシーケンサーでコントロールして、人をアクチュエータの代わりに使っています。コンピュータを中心に捉えることで、逆に人間を比較的「安価なアクチュエータ」と考えることができてしまうのです。今まではコンピュータを人間がどうやって操作して音楽を奏でるか、光を使って演出するかが、コンピュータエンターテインメントの中心でした。しかし、逆にどうやってコンピュータが人間を使って音楽を奏でるか、人間を動かしてディスプレイを作るかなども、これからは重要なテーマになってくるでしょう。

デジタルネイチャーにとって、両者の関係性は上下関係ではなくて共生関係になり始めています。人とコン

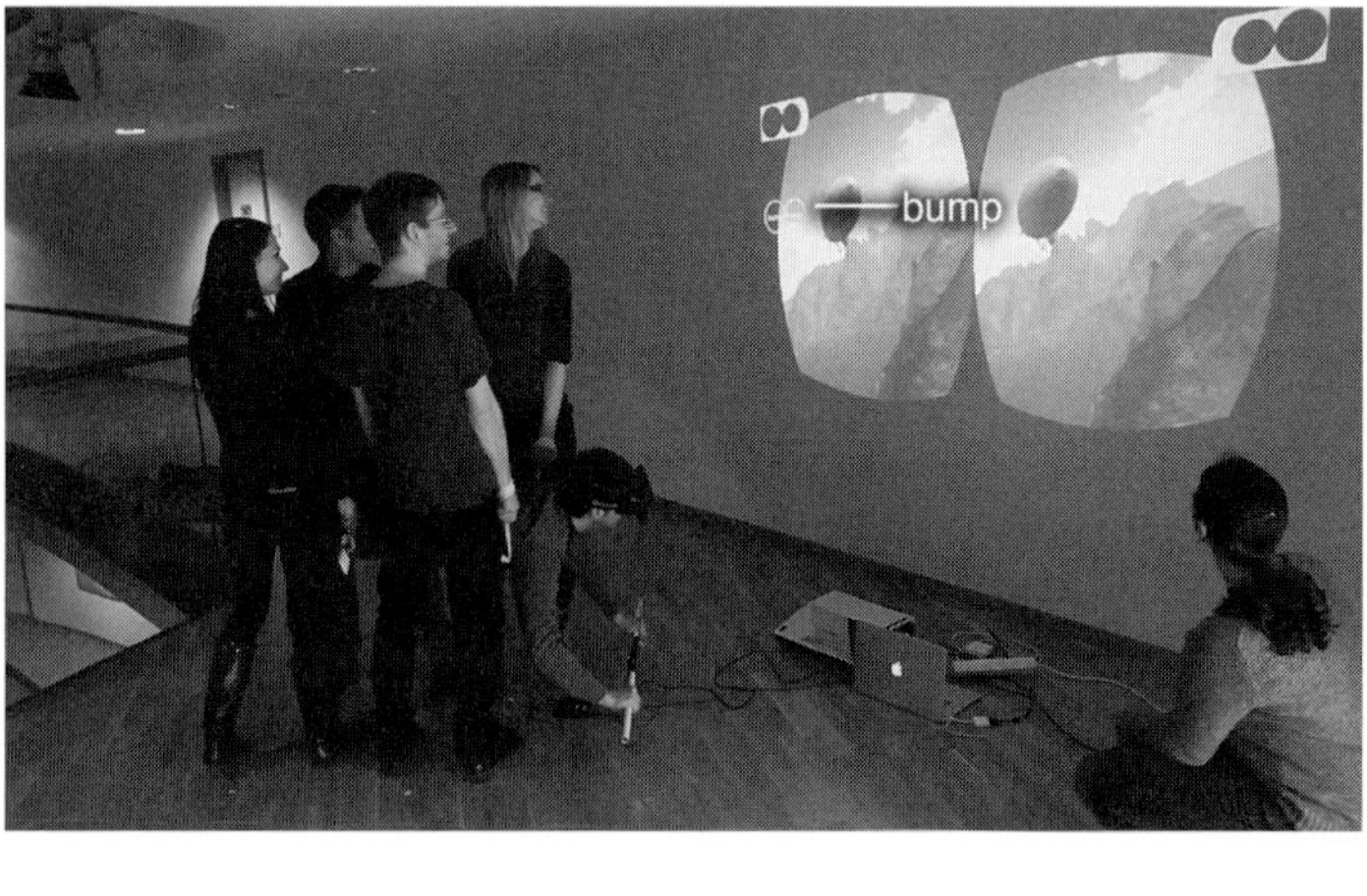

写真34 — Haptic Turk

ピュータという違う腹から生まれた同様の種が世界を形作っているのです。

場によって記述されるモノ

デジタルネイチャーを記述する上で欠かせないのが「コンピューテーショナル・フィールド」の概念です。アトム（物質）／ビット（情報）の対比ではなくフィールドでコンピュータを理解する概念です。

この概念を用いると、物質の特性が行列場における固有値として表現されるようになります。

例えば、以前に僕は、シャボンに超音波振動を与えて、物体の表面質感を再現する「コロイドディスプレイ」という作品を作ったことがあります。これを僕は「8次元再生ディスプレイ」であると説明することがあります。どういうことでしょうか。まず、ディスプレイは入射してきた光を反射することで像を映し出します。少々難しいですが、ベクトルの話をします。光はある平面上の点（s・v）と、ある平面上の点

注62　Oculus社が開発した、バーチャルリアリティに特化したヘッドマウントディスプレイ。

（r・t）を結ぶ4次元ベクトルで、その入射光と反射光で記述されますから、4＋4で8次元になるのです。

しかし実際には、ある入射光とそれに対する反射光は、物質を用いた写像の関係になっています。このベクトルの写像には、固有値が存在しています。この固有値は物質のBRDF（双方向反射率分布関数）と呼ばれていて、実は各々の物質ごとに実数で値が決まっているのです。

コンピューテーショナル・フィールドの観点から言い直すと、ベクトルをある法則に従って変換させるのが「場」の役割です。その変換の規則（＝ベクトルの関数）は行列で表現されますが、線形ベクトルの写像行列もまた線形変換ですから、固有値が存在します。つまり、場（＝行列）に対して、物質（＝固有値）が対応するのです。

この光の入射角と反射角の関係から物性を記述していく発想は、他の物質にも適用することが可能です。そして、何よりも重要なのは、「場」という発想によって物質を捉えることで、物質がコンピュータで計算可能な「写像（＝関数）」と対応するようになるということです。

ここでは光を例に挙げているため、この議論は物質の表面に限定されたものと考える人もいるかもしれません。しかし、最近のCGの世界では、人間を動かす際に、従来のように肌の表面の計算だけでモデルを作らなくなっています。人体の内部構造までモデリングすることで、本物の人間らしい自然な動きを可能にしているのです。

その領域にまで踏み込んで物体を記述できるようになると、今までのアプリケーションの外面的な3次元計算を超えて、物質の素材や内部構造、内部反射まで踏まえた計算が可能になります。そして、ここにおいてもコンピューテーショナル・フィールドの発想は適用可能です。現に様々な光の研究[引用18]や反射の研究[引用19]は場を用いて考えられています。どんな光が反射して返ってくるかで、対象の素材が金属なのか木材なのかがわかる仕組みを利用して、あらかじめ計算に利用しやすい場を構築し、その中で物質を計算していくのです。それが、光だけでなく、違う物理量に関する場、また光との相互作用を生むような場や物質がコンピュータによって一元的に扱えるのは面白いことです。

物質の存在のあり方と空間の物理量の分布が、等価の計算で行われるということは、物体の内部機構まで含めた形質と、それを取り巻く環境の形質が、数式、ひいてはそれを書き下ろしたソースコードとプログラミングによって接続されることを意味しています。

全てのモノが場になるということは、今デバイスとして我々が認識しているモノが空間の機能としてレンダリングされる事態を予感させます。それは、まさしくメディアがその都度生成される状況であり、「非メディアコンシャス」が完璧に実現した未来と言えるでしょう。

さて、このように、モノの内部構造に対して場の考え方を適用して計算するのであれば、生物においても同様の発想が適用されるべきですが、ここで問題になるのが計算量です。さすがに生命の演算には、重心が制御されたコマなどと違って膨大な計算が要求されそうです。ここでもまたCGの世界の議論を参照してみましょう。常に計算量が問題になるCGの世界では、この種の研究が昔から発展していました。

例えば上の絵は、CG計算のマイルストーンとして1994年に生まれた「スタンフォードバニー」[写真35]と「スタンフォードドラゴン」[写真36]です。スタンフォードバニーは3万7千点程度、スタンフォードド

写真35―スタンフォードバニー

写真36―スタンフォードドラゴン

ラゴンは250万点程度で外部の形状が表現されています。当時としては大変に大きな数字ですが、どちらも現在のコンピュータでは計算可能なモデルになっています。この驚くべき発展のスピードの背景には、実はコンピュータ科学が常に計算量を多くこなせるように進歩し、そしてその技術を適応できそうな箇所を希求してきた歴史があります。例えばハイパフォーマンスコンピューティング[注63]に関する研究を見れば、速く量をこなせるものを作ることによって解ける問題と、速く量をこなせることによって新たに発見される課題とで、卵が先か鶏が先かわからなくなっています。

その上で、最近の潮流を踏まえると、先ほども触れたように、CGは外部の形状だけではなく、内部構造にまで踏み込んだ表現が必要でしょう。実際、近年は人体の骨や筋肉の模写、構造計算をすることで、動きが精微でリアリティに溢れたCGを生み出す技術が発達しています。

しかし、本当に内部構造の探求がその程度の模写であっていいのでしょうか。僕は、生命にとっての究極の内部構造はDNAだと思います。生命を再現するのであれば、ここまで行き着く必要があるはずです。コンピュータは1秒に30億回計算しインター

注63 自然現象のシミュレートや生物構造の解析などの、非常に計算量が多い計算処理を行う分野。

ネットによって永久的記憶を可能にしていますが、生物は生殖の1回のみしか生涯で計算結果を記録し遺すことができなかった。それが覆ろうとしているのです。

例えば、ショウジョウバエの遺伝子は1・8億塩基対程度、マウスは25億塩基対程度です。そして、DNAシーケンサーなどで遺伝子情報の出力が可能になりつつある現在、生物遺伝子のプログラミングによる計算は決して夢物語ではありません。この莫大な計算量をいかにして処理するか、形質とデータの因果関係をいかにコンピュータが解くかは、今後の課題になるでしょう。その関係性を人間が直接的に理解する必要はおそらくなくても、演算速度はそこに追いつく必要があるでしょう。

そして、デジタルネイチャーの観点から興味を惹かれるのは、その計算結果として生まれた生命を、いかに3Dにプリントアウトするかです。そうして生命がマイコンのようにコンピューティングされて、自然界に飛び出していったとき、CGのモデリングでしか表現できなかった、キラキラと輝くショウジョウバエや、街灯の代わりの植物や、掃除機の代わりの家畜や、ロボットと接続されるインターフェースのついた生命といった不可思議な生物も、実在するようになるかもしれません。

さらに想像力の翼を広げます。コンピュータの扱う領域が拡大して、計算量とメモリの記憶量がどんどん増えていったとき、私たち自身の生命はどうなるのでしょうか。

最近の私たちは、SNSやブログに日々の行動履歴という形で自分の情報を書き残し続けています。その蓄積されたビッグデータの先にあるのは、私たちの人格がそう遠くない将来に――例えば人工知能の研究の一環として――複製される可能性です。そのとき、我々の生命は、原理的に生者と死者の区別がつかなくなると考えざるをえません。弱いAIと強いAIの議論[注64]に結論を出せるのはまだ先でしょうが、質問に対して人間らしい回答を高い精度で返してくるようなAIは、そう遠くない時期に完成するのではないでしょうか。

こういう話は、コンピューテーショナル・フィールドの記述によって、デジタルとアナログの境界があいまいになることと、本質的には同じ問題です。とすれば、そのどちらを選択するかがコストの問題でしかないように、Physically HumanとDigitally Humanの区別は、単なるコストの問題になるのでしょうか。それとも、そこには「人権」という名の〝人間の庇護政策〟が介入してくるのでしょうか。これは、少し想像

注64　人工知能の議論には、限定された範囲の問題解決や推論を行う能力に留まるのか、人間の知能に迫るような複雑な思考をするようになると考えるのか、の二通りがある。前者を「弱いAI」、後者を「強いAI」の議論と呼ぶ。

したただけで次々と新しい問いが湧いてくるテーマです。身体と思考が切り離された末に、そのどちらに根ざして我々は生きるのか。例えば、『攻殻機動隊』[注65]に出てくる「人形使い」の発言に次のようなセリフがあります。

「あなたたちのＤＮＡもまた自己保存のためのプログラムにすぎない。生命とは情報の流れの中に生まれた結節点のようなものだ。種として生命は遺伝子という記憶システムを持ち、人はただ記憶によって個人たりうる。たとえ記憶が幻の同義語であったとしても人は記憶によって生きるものだ。コンピュータの普及が記憶の外部化を可能にしたとき、あなたたちはその意味をもっと真剣に考えるべきだった」

その意味を真剣に考えてこそのデジタルネイチャーなのですが、人とコンピュータの関係性において、人工物／自然物の二分法を超越した自然観を持たない限り、人間は人間の隣人を認めることができないのではないかと思います。コンピュータと人間という、違う腹から生まれた同じような兄弟を認めるための自然観がデジタルネイチャーであり、その性質を追及していくことが「魔法の世紀」の研究でしょう。

とはいえ、現状ではコンピュータと人間には、各々で得意な部分と不得意な部分があります。例えば、米国防総省高等研究計画局が主催する災害対応ロボットの競技会では、数千万円もするロボットが成人男性が5分で終えるような作業を40分もかけて行い、数億円の賞金をもらっています。明らかに人間が行った方がコストが安い作業は、現在も存在しているのです。

特に、人間が直接触れるインターフェースに当たる部分では、人間を用いた方が効率がよい場面は数多くあり、これは今後も不変かもしれません。変な話、皆さんが使っているスマートフォンと同じことをしてくれるかわいい彼女がいれば、みんなそっちを選ぶのではないでしょうか。人間は結局のところ人間を好むのです。その意味で、パソコンを愛らしい少女として描いた漫画『ちょびっツ』やアンドロイドとの愛が成立するかを考えた『セイバーマリオネット』の問いは永遠です。

そんなふうに考えると、人間は人間のインターフェースとしていつまでも残っていくのではないかと思います。例えば配車アプリケーションのUberは自動ナビの車のインターフェースとして、人間を「半自動運転用ロボット」と「接客インターフェース」として搭載しているだけなのだと捉えることもできます。とすれば、自宅を貸したい所有者と旅行客を繋ぐサービスAirbnbは、家をキーピングするためのロボット

注65　士郎正宗の近未来ＳＦ漫画。電脳化・サイボーグ化技術が普及した社会で、草薙素子と公安警察組織「公安9課」の活動を描く。「人形使い」は劇中に登場する意識を持った人工知能。

として所有者の人間を置いているという感じでしょうか。

そう考えれば、将来的には人間が接客をするバックで人工知能が走っていて、コンビニやレストランの店員はその指示通りに動いているだけ……なんてことも想像できます。なんだかディストピアSFのようですが、これは本当に怖いことなのでしょうか。例えば、カーナビが導入されたお陰で、僕たちの車の旅行は楽しくなったはずです。とすれば、そういう人間とコンピュータの関係もまた、穏やかで幸せなものになるのではないでしょうか。

エーテルから生成されるモノ

さて、そんなふうに生命までもが「場」で記述されて、人間とコンピュータの見分けがつかなくなるような時代が来たとしても、最後まで残るであろうハードの問題があります。それは存在の生成と消滅です。

既に存在しているモノを動かすのは、場の働きやアクチュエータの導入によって可能になるでしょう。しかし、存在していなかったモノが生成したり消滅したりする現象をいかに実現するかは大変に難しい問題です。映画館のスクリーンが突然映像を映し出して、突然終わることができるように、モノも突然に生成されて、突然に消滅することはできないものでしょうか。

その一案が前に紹介した、フェムト秒のプラズマを3次元におけるメディアとして利用する方法です。確かにプラズマは突然に生成されて、突然に消えることが可能です。

しかし、もっとファンクショナルに動けるプラズマは作れないのでしょうか。アクチュエータも媒体もないままに、突如としてエーテルから生成されるようなモノは実現不可能でしょうか。

そのヒントになりそうなのが、先ほどコンピューテーショナル・フィールドで提示した、モノを場の関数として捉える視点です。あたかもそこにモノが存在しているかのように周囲の場を作り上げられたなら、それはもうモノがそこにあるのと同じことなのではないか——という考え方です。そもそも、充分にフェムト秒のプラズマ装置が人から隠されているならば、触覚ある空中映像は物質とほぼ見分けがつかないとも思います。映像のように現れ、彫刻のような存在感のあるメディア装置を生成する一歩手前まで来ているような気もしています。

さて、このようにコンピューテーショナル・フィールド＝エーテルが、存在の生成と消滅までも担うようになったとき、本当に重要なのはデータの海のような「場」そのもので、モノとしてのコンピュータすら、その海から必要に応じて生成されるような存在になっていくのではないでしょうか。

この時空間にモノがレンダリングされた世界では、我々の周囲の環境を、物理学の関数のみならず、コンピューテーショナル・フィールドの人為的なコード＝関数でも記述しなければなりません。そういう人為と自然が同時に併存するような場所こそがデジタルネイチャーなのです。

これは、数学と自然科学の動的接続でもあります。

でも、なぜ僕はこんなことを書いているのでしょうか。それは、第3章で書いた「人間はコンピュータのミトコンドリアなのか」という疑問に、僕なりの決着をつけたいからかもしれません。

メディアアーティストとして第一歩を踏み出したときに抱いていたその考えは、その後、僕の中で疑問符がつくようになりました。というのも、人間のインターフェースに近い部分では、むしろコンピュータの方が人間に合わせざるをえない場面が増えてくるからです。そうなると、コンピュータはあたかも人間という存在をエンパワーメントする装置のように見えてきます。

果たして、人間がコンピュータのミトコンドリアなのか？　それともコンピュータが人間のミトコンドリアなのか？

デジタルネイチャーは、その疑問への僕なりの暫定的な解答でもあります。つまり、どちらがサブセットなのかを考えてもキリがないので、ひとまず人間とコンピュータの上にデジタルネイチャーというスーパーセットを作って、両方とも横並びのサブセットにしてしまおうというわけです。いわば敵対している人間とコンピュータという二つの会社を合併させて、デジタルネイチャーホールディングスの子会社にしたようなものです。

玉虫色の解決策に思われるかもしれないですが、アナログvsデジタルのような二分法に陥らずに、人間とコンピュータの共生関係を考えるための現実的なフレームワークなのではないかと思います。自然観を人工物の入り混じった超自然まで押し上げることによって、人間の上部でも下部でもない存在を認める、そんなフレームワークだと考えています。人には人の言葉がありコンピュータにもコンピュータの言葉がある。機械学習の結果を人が意味ある形で受け取れずとも、それはそれでよいのかもしれません。

魔法の世紀へ

だいぶ話が広がってしまいましたが、そろそろこの本は終わります。

最後に、現在の僕が考えていることを記します。それは「魔法の世紀」、デジタルネイチャーの世界において、物質はまるで「窓」として振る舞っているように見えるということです。

「映像の世紀」に隆盛した2次元イメージは、もはやマスメディアだけのものではなく、インターネット上で誰でも発信できるようになりました。まだまだ多くの表現が「映像の世紀」を引きずり続けていますが、繰り返し述べているように、多くの場合で映像は現実世界における光と音の要素しか再現できていません。人間中心主義のメディア感覚から、計算機によるデジタルネイチャー主義のメディア感覚に引き上げることによって、より多くの要素がメディアを通じて記述されていくことでしょう。

そうなれば、光や音だけに限らず、これからは触覚や空間上の座標まで含めた要素の再現が可能になってきます。そのとき、私たちは、あたかもあらゆる場所に同時に存在しているかのごとく振る舞えるようになるはずです。

これまでは解像度の低い「イメージ」を再現するだけの存在だったメディア装置が、まるで世界のあらゆる場所に開いた「窓」のように機能するようになるのです。物質的な交換や、対面的なコミュニケーション、機械と人間とのインターフェースの関係を含めて、「窓」を象徴するような概念になっていくと思うのです。

この「窓」という表現には、背景にある理論的な含みも持たせています。

先ほど、光の入力波と出力波の反射から物性を定義できるとしましたが、「窓」にモノが視覚的に映る原理はまさにそういうものです。具体的には、超高精細な光位相変調器と、超高精細なライトフィールドカメラ[注66]があれば、出力と入力のプログラミングが可能になるはずです。この光の電磁場における「窓」のように、様々な場を定義する「窓」としてモノは存在するようになるのです。

その発展過程はおそらくシンセサイザーの歴史から類推できると思います。その昔、デジタルシンセサイザーは音の解像度が低く、味気ないものと思われていました。しかし、コンピュータの処理速度が上がるにつれて、アナログ部品の動きすらもコンピュータ上で変化をつけられるようになり、やがて単なるコードに置き換えられまし

注66　撮影後に焦点を合わせられるカメラ。

た。このシンセサイザーの発展におけるアナログ部品とコードの関係性が、いずれ様々な分野で起きていくはずです。その際に、例えば光の設計を、デジタル処理で行うかアナログ回路で行うかの選択は、単に処理速度も含めたコストの問題に帰着するでしょう。

それはいわば、あらゆるものに「コード化圧力（Codenization）」が働く時代でもあります。あらゆる関係性をデジタルな処理として記述しようとする圧力が高まっていくのです。例えば、物理場に関しては、基本的にはどれもフーリエ変換で表され、その物性については、場と場の間で記述される関数――先ほどのＢＲＤＦ（双方向反射率分布関数）など――で記述されてそれがコード化されていく、といった発展が考えられます。

こういったコンピューテーショナル・フィールドによって、あらゆる動きや物性が記録され、出力されるようになったとき、おそらくデジタル計算機はこの世界におけるインタープリターとして人間総体の上部構造の役割を果たすことになるでしょう。我々は我々という個々の内的記憶とイメージと身体情報及び遺伝情報によって語られる、個としての人間だけでなく、インターネットとしての人類、ビッグデータ、IoT、デジタルネイチャー総体としての知性体として定義されるのです。そのためのインタープリターとして、デジタルリソースがあるのです。

それは、「2次元イメージ=映像メディアの時代」が終わり、コンピュータ中心の時代になることを意味しています。そこでは、あらゆる次元の問題を等価に処理できるようになるはずです。我々はイメージというあやふやなもの、あやふやな言葉と絵で互いに伝え合うことなく、より物質的でコード化されたやり取りによってコミュニケーションするようになるはずです。映像と物質のパラダイムを乗り越えることができる。

現在の我々が用いている映像メディアは2次元か、よくて3次元の立体映像にすぎません。しかし、コンピュータの描き出す世界は、ナチュラルに多次元です。我々にとって、縦・横・奥行き・時間の4次元のパラメータはそれぞれ重要な意味を持っています。しかしながら、コンピュータにとっては、そんなものは違う配列に入ったデータ構造にすぎず、相互のデータの関係性をどう入れ替えていくかはあまり重要ではないのです。コンピュータを基準にすれば、2次元のイメージを超越して考えることは、むしろ当然の帰結です。

今まで、我々は2次元の不自由な窓で世界を切り取り、イメージを共有することで社会を維持してきました。技術的な制約から、多くの要素が切り捨てられたイメージに囚われ続けていたのです。しかし、コンピュータが導入されることで、あらゆる体験は多次元になっていくでしょう。

そこでは、あらゆる物質がコントロールできるようになり、あらゆる体験がデザインされていきます――すなわち、物質と物質の直接的なコミュニケーションを扱えるようになるのです。もはや、いかなる要素も人間のスペックを基準にして切り捨てる必要はなく、多次元情報が多次元情報のままで、コンピュータを介して人間に伝わってくるのです。

そうなれば、我々は自らの感覚的、認知的性質を備えた解釈器としてコンピュータの前に立ち、コンピュータのインターフェースとして情報を感覚や感動に変換する装置になるはずです。ロジックはコンピュータが受け持ち、コンピュータの感覚器官としての我々は非言語的感覚や、モチベーションを重要視し、総体として、コード化と感覚化に二分されるような社会へと変わっていくことでしょう。

ちなみに僕は、人間の動きそのものを多次元場の関数として捉える発想もありうるのではないか、と考えています。例えば、スマートフォンをこれだけ多くの人が持っている時代、Wi-Fiの飛んでいる区域とスマートフォンを持っている人間の分布には、それなりに相関性がありそうです。もしそれが可能であれば、電場の動きと人間の動きには共通点が見いだせることになります。また、日照や天候もコンピューティングされるようになれば人間の動きや活動そのものも、地球のインフラとして海の波や川の流れのようなものになっていくのではないでしょうか。その第一歩として、交通インフラのビッグデータによるコントロールなどが始まっていますが、そのような人間の群的操作もデジタルネイチャーの大きな課題の一つです。

ともかく「魔法の世紀」の最終到達点は、コンピュータ科学という名の統一言語で、知能・物質・空間・時間を含む、この世界のありとあらゆる存在と現象が記述され、互いに感応し合うことです。僕の活動の目的は、コンピュータの記述範囲を広げることで場と場、モノとモノが相互作用する可能性を切り開いていくことにあります。

ドイツの詩人フリードリヒ・フォン・シラーは、「自然は、その物質的な初源から無限の展開へと序曲を奏でている。物質としての束縛を少しずつ断ち切り、やがて自らの姿を自由に変えていく」という詩を書き残しています。これはコンピュータが創り出す21世紀のデジタルネイチャーそのものを、指し示しているかのようです。

僕のコンピュータの可能性の探求は、やがて感覚の担い手としての人間と文化の紡ぎ手と保存装置としてのコンピュータを規定していくのではないかと考えています。

例えば、先ほど紹介した事例――フェムト秒のプラズマを触ったり、あるいはコンタクトレンズのインプラントで視力を大きく向上させたり——によって生じる感覚は、「映像の世紀」的なメディア装置がいかに高度な文脈から感動を生み出そうとも、絶対に得られないような、原理的なレベルでの真新しい感動です。ここにある感動の主体は人間であり、文化の紡ぎ手はコンピュータと人間の共生であり、保存装置はインターネットです。

このような感動、文化が指し示すところは、人間基準の解像度を乗り越えた世界が、我々にもたらす新しい知覚の可能性です。また、人間の感覚の拡張そのものでもあります。人間とコンピュータの境界を探索する行為が、そのまま現代における新しい感動を生み出しているのです。そして、この探索行動こそが、実は「魔法の世紀」における「アート」と言えるのではないでしょうか。

もちろん、それは「映像の世紀」のように、誰もが同じディスプレイを眺めて連帯するような時代ではありません。むしろ、その感覚のアップデートは、個人的な体験や経験に基づくものでしかありえません。しかし、そこでは場＝物質がコード化されることで、多くの人間のビッグデータによる情報が重畳されており、その個人的な体験がもたらす効用は最大化されています（ただしそれは様々な体験を共通化するプラットフォームによる同調圧も生み出すでしょう）。

そんな時代になっても、古典的な「コンテクストを愛するアート」は残っていくかもしれません。しかし、それは印象派以前の表現を引き継いだ精微な写実画が、いまだ現代において需要があるという話と同じです。存在は残れども主流は変わっていくだろうと僕は考えています。

来るべき未来は、コードという言葉とそれを司る論理によってモノを操り、私たち自身と周囲の環境を変えていく世界になるでしょう。そして、ファンタジーに登場する魔法を思い浮かべればわかりますが、魔法とはまさに「モノを操る言葉」、つまり呪文によって行使されるのです。

その実現のために、僕は研究を続けます。いつの日か、コードという呪文と、コンピュータというマナによって、人間が世界の理を操れるようになり、この物質世界そのものを物語の中に変えていけるような、「魔法の世紀」が訪れることを信じて。

落合陽一 メディアアート作品紹介
2009〜2015

電気が見えるブレッドボード／The Visible Breadboard（2009年）

これは全部の格子点にスイッチがついていて、そのオンオフを切り替えれば回路ができるという作品です。あとは部品を挿すだけでブレッドボードになります。とても地味ですが、僕にとっては最も重要な作品の一つです。

シャノンがデジタル計算機を発明した時代、物質の性質を利用してデジタルな情報を計算できるようになったのは大きな進歩でした。人間が自分の頭で必ずしも考えなくてよくなり、いわば動作クロックが上昇したからです。でも、今や計算結果はどこからかやってくるものに近く、むしろその過程をシミュレートする方が困難になっている。かつてはリレーを使って計算をしたとすれば、逆に計算結果をリレーで返せば回路を描ける。この作品で得た着想は「魔法の世紀」のアイディアの原点になりました。

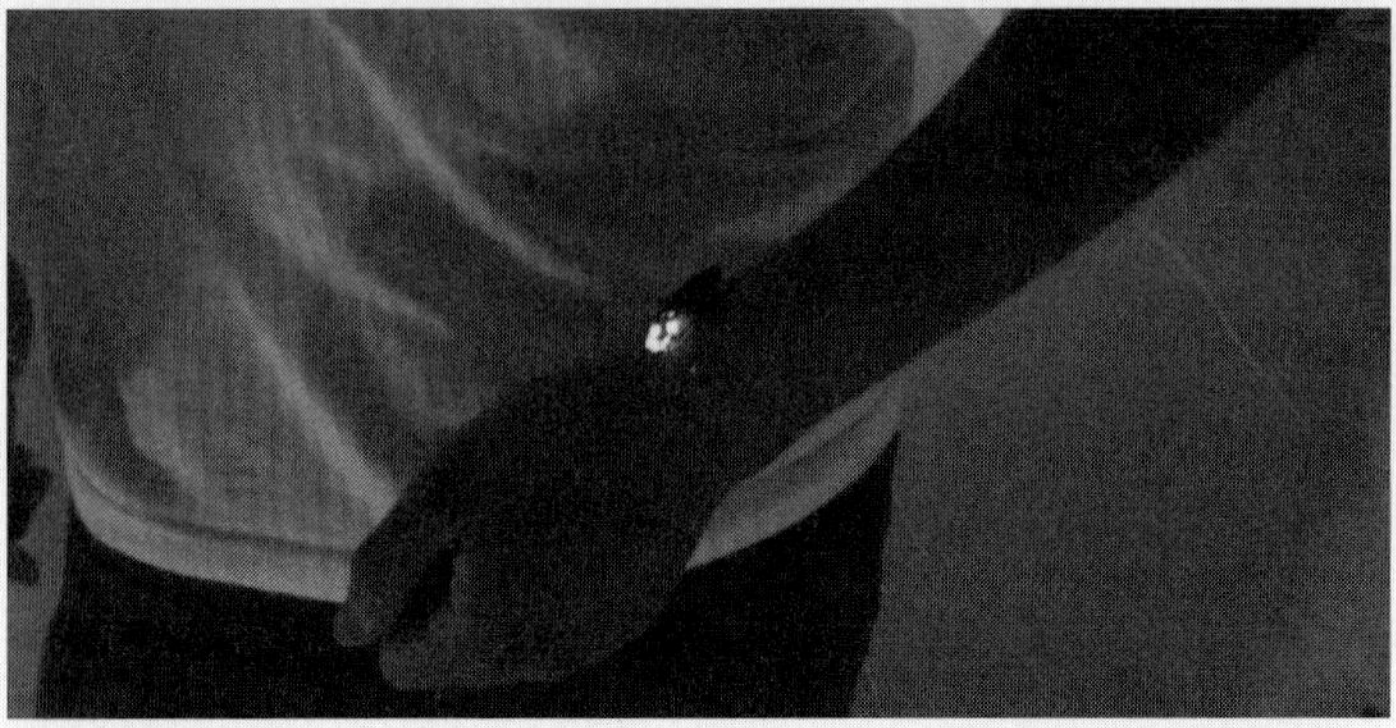

ほたるの価値観／Do the Cocktorches Dream of Firebugs?（2010年）

ずっと生物とコンピュータが動的に接続されるサイバーな『攻殻機動隊』の世界に強い憧れがありました。その視点で見ると、昆虫ってパーツを切り離してもしばらく動くから、サイボーグ化された人類の未来のミニチュア版みたいな気がしたんです。でも生物系の研究室で日々昆虫をバラバラにして電気を流す実験をしていたら、結構感覚が狂いましたね。

そんなとき、ふと死骸の山を見ながら「僕以外の人でも平気でこんな酷いことをするのは、ゴキブリを殺すときくらいかな?」と思いました。そこで思いついたのが、ゴキブリを世の中で最も愛されている昆虫であるホタルに見立てて、昆虫の生命の平等さを表現するという作品。

今だったら、むしろバクテリアとかを使って、放っておいても光るようなゴキブリ作りたいかなぁ。ゴキブリが死なないような塗料を実験して見つけるのが大変でした。

ヒューマンブレッドボード／Human Breadboard（2011年）

これはコンピュータが人間の上位概念だと思っていた時期に作った作品。まずは人間を誰の目にも明らかになるその状況に慣らさなきゃいけないと思って、電子部品と人間には区別がないことを示そうと考えました。そこで思いついたのは、人間をクロックとして使用するブレッドボードでした。

当時の僕は人間のメタな視点と昆虫のメタな視点に区別がなかったので、そんな思いも込められてます。でも、この視点が、現在のデジタルネイチャーに繋がっています。デジタルとアナログの区別のつかない装置を作る発想の第一歩でした。

視野闘争のための万華鏡／Kaleidoscopes for Binocular Rivalry (2011年)

メディアアートの活動を本格的にはじめたころ、人間の意識を変容させる方法に興味がありました。そこで用いていたのがハイレゾの解像度です。高解像度のよく動く映像がバラバラに両目から脳へ入力されると、脳は普段は使わない場所を猛烈に使います。だんだん頭の中心部が熱くなって、凄くクラクラしてくるんです。

この作品は、見ている人が次々に惚けた感じになって、大変に楽しかったですね。ただ、覗きこんだ子供が5分くらい口をあんぐり開けて動かなかったときは、さすがに焦りました。

サイクロンディスプレイ／Cyclone Display II (2011年)

見ている人全員に、違う色や質感が見えるピクセルを作りたいと考えて作った作品です。そうなると脳の錯覚で絵を描くくらいしかなかったので、大量の回転ゴマが生む錯視でディスプレイを作りました。回転数をきれいに揃えないと錯覚にならないので、制御が大変でした。

もちろん、錯覚と実際のピクセルに違いはあります。中でも一番大きいのは色が固定されないことなのですが、そこは逆に表現に活かしました。

2011年の作品なので、ちょうど解像度による人間の意識変容に興味があった時期でもあります。猛烈に視覚が点滅する感じが、人間になにかを目覚めさせられないかという興味もあって作っていました。

アリスの時間／looking glass "time"（2012年）

この作品の原理は、実はOHPの台がいっぱい並んでいるのと変わりません。でも、運動している針の速度と違うスピードでアニメーションが浮かび上がってきて、見ていると不思議な感覚に包まれる。物質をフィルムとして使うという発想もわかりやすくて、美術の玄人筋にウケた記憶があります。テーマも「世の中には異なる時間軸が複数存在する」という“時間論”です。

ただ、僕の中では普段と逆向きの発想をもったメディアアートです。僕の基本的な発想は、物質と映像の間を考えること。だけども、ここでは物質から直接に映像を作ろうとしているでしょう。ストレートにメディア装置を探求していますね。

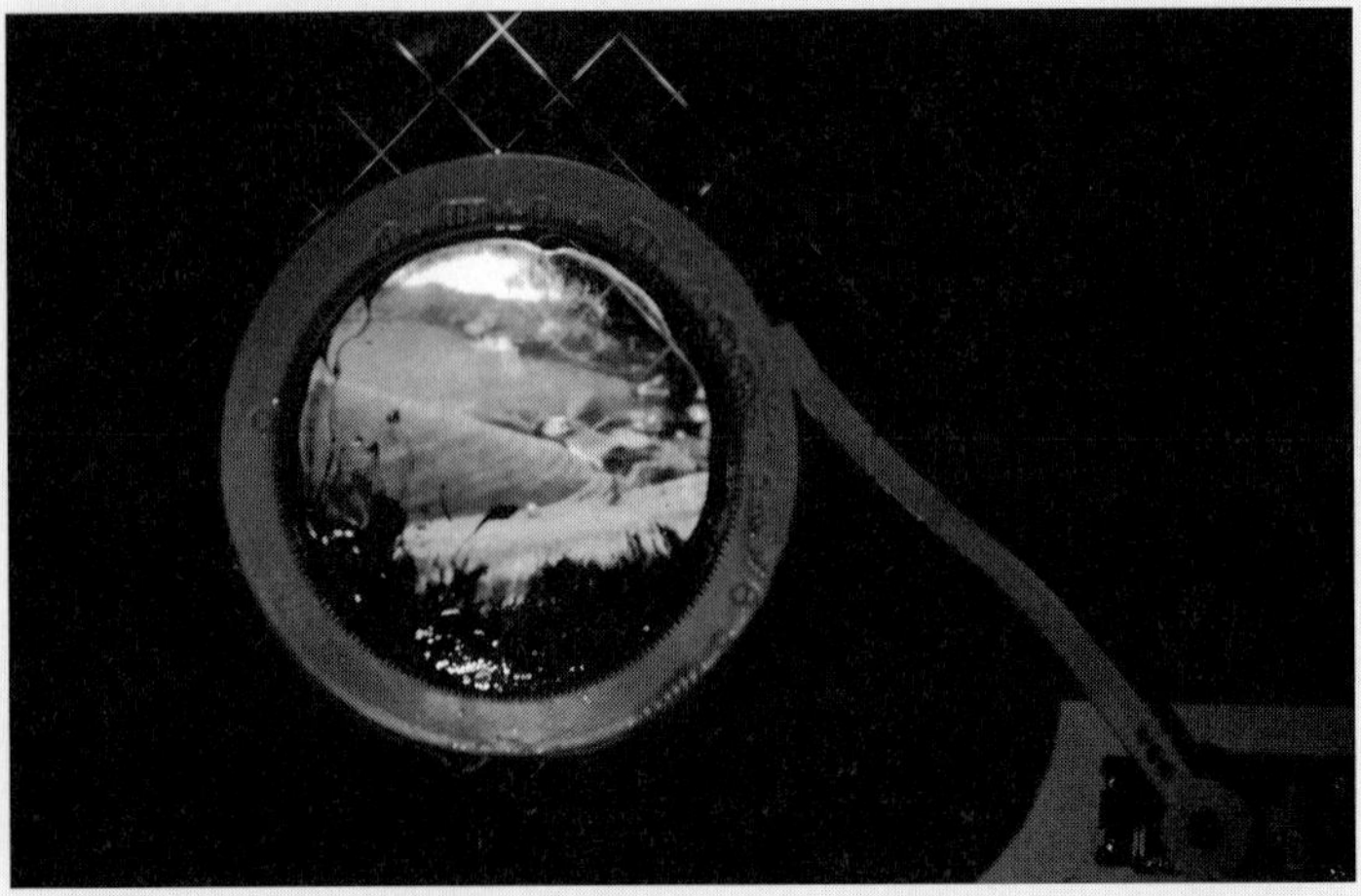

A Colloidal Display（2012年）

新しいメディア装置の発明こそがメディアアートであるという、この本の中でも書かれている僕の考え方を実践しはじめた時期の作品です。シャボン玉に超音波を当てることで、本来は光が透過する透明な表面に映像が映るようにしています。

映像の性質を映写機側だけでなく、スクリーン、物質の側の方でもある程度コントロールでき、正面と側面で見える映像も変えられる。しかもシャボン玉なので簡単に曲げられる。平面の質感表現なので、3次元のディスプレイを作るための準備としての「2.5次元」ディスプレイと言ったところでしょうか。

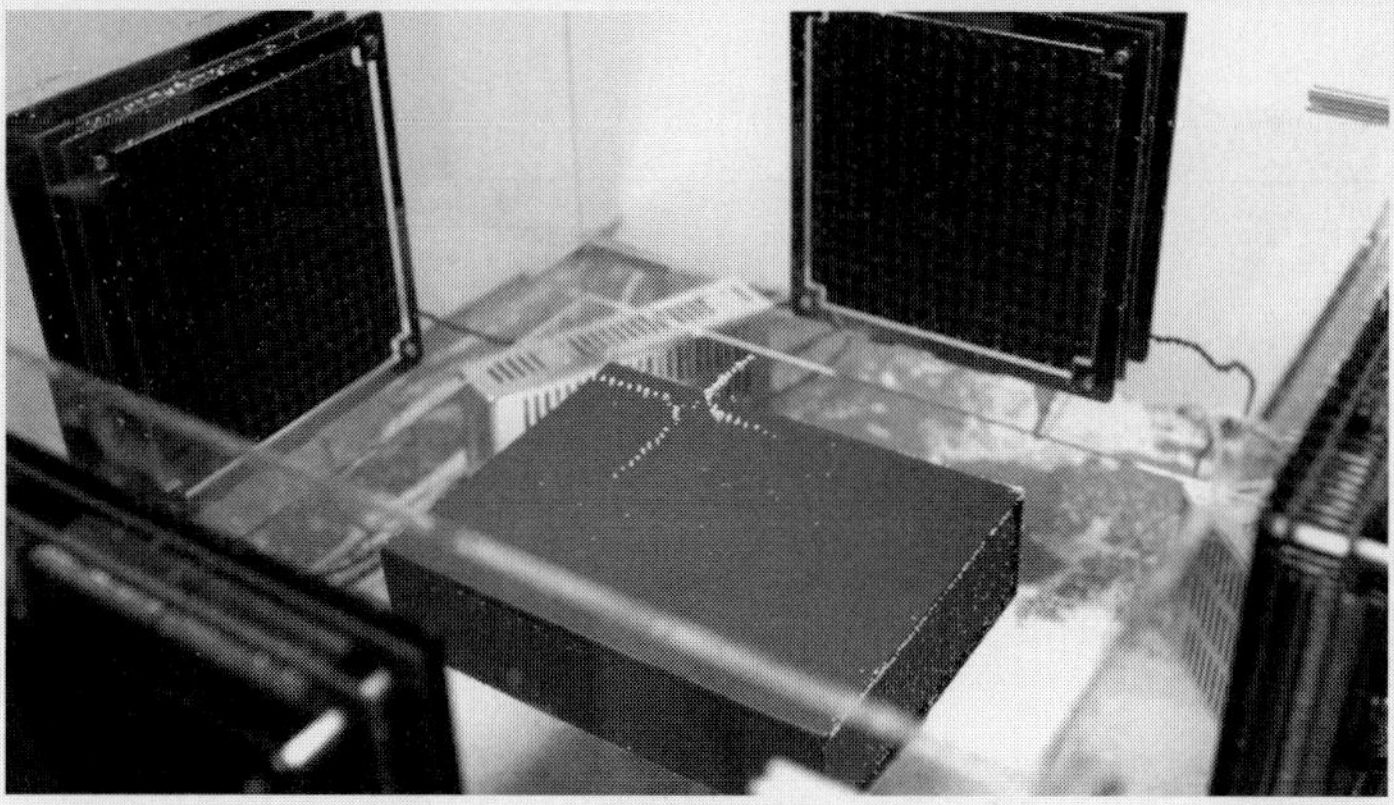

Pixie Dust／Three-Dimensional Mid-Air Acoustic Manipulation（2014年）

YouTubeで世界的に話題になった動画ですね。映像のように物質が動く様というのは、物質と映像の境界を越えうるものだと思います。

この装置は、超音波焦点で定常波を作ることで、焦点の位置を移動させれば球も一緒に動かせるようにして実現しました。僕が最終的に目指しているのは、2次元における紙のような、色んなものをそこに描き出せる3次元のメディアです。球体を浮遊させるのは、その目的のための第一歩でしかありません。

ちなみに、この動画で「十字架」を使ったのは、西欧人があの形をこういう場面で使うのに象徴的な意味を込めることへのアンチテーゼでもあります。我々にとっては、十字架って単に人間の視覚表現の中の、非常にプリミティブで強い力を持った形の一つにすぎない。これは、グローバル社会におけるコンテクストの違いとはなにかというの僕の認識の象徴でもあります。

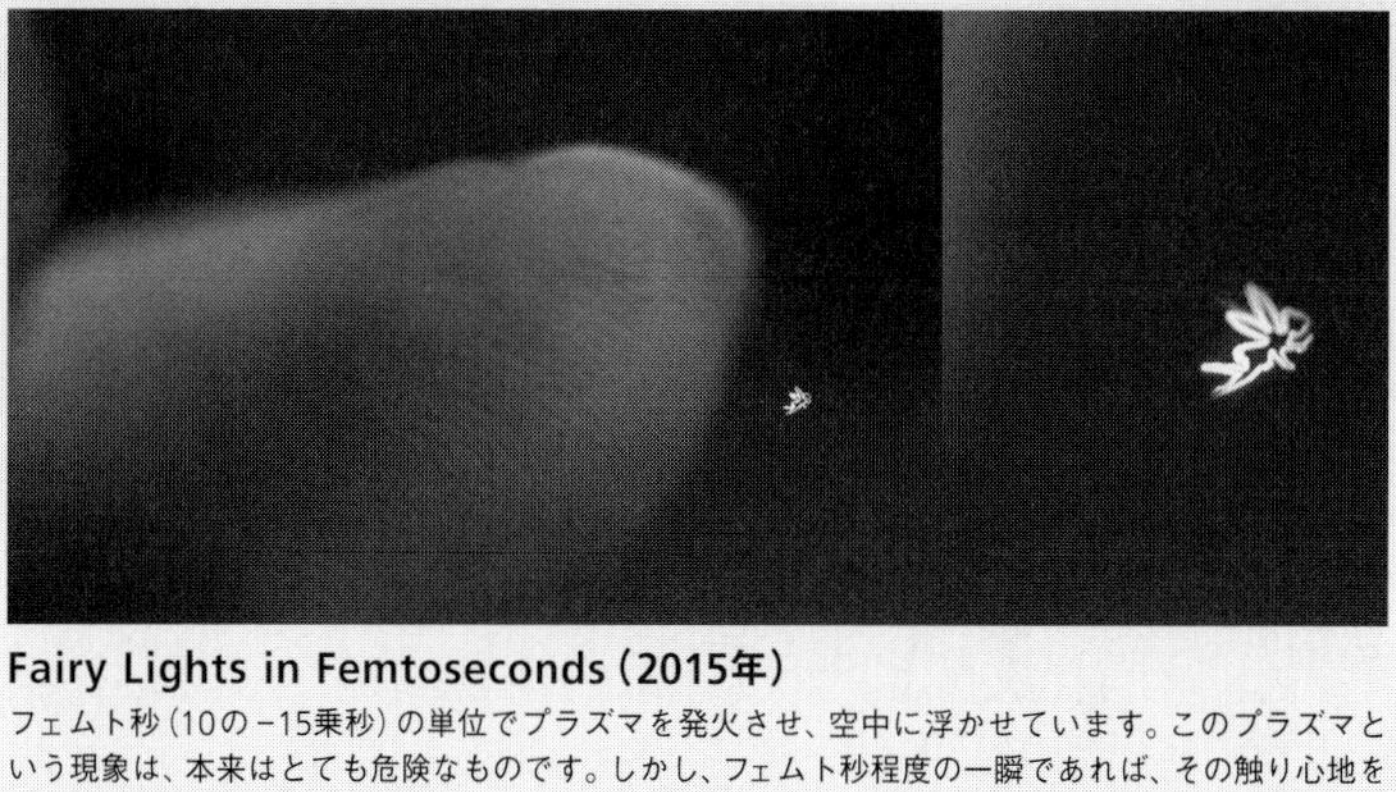

Fairy Lights in Femtoseconds（2015年）

フェムト秒（10の－15乗秒）の単位でプラズマを発火させ、空中に浮かせています。このプラズマという現象は、本来はとても危険なものです。しかし、フェムト秒程度の一瞬であれば、その触り心地を確かめられます。ここで僕が狙っているのは、通常のメディア装置の発想で視覚に属すると思われているような光を、触覚的に味わうことです。私たちは光には視覚が、音には聴覚が対応すると考えがちですが、それはテクノロジーが規定してきた条件に過ぎません。現代のテクノロジーは光を触ることを可能にしているのです。

これによって映像と物質というパラダイムの間にあるものを表現しました。触覚のある映像は、ほとんど物質と区別がつかないからです。

あとがき

最後までお読みいただき、ありがとうございます。
落合陽一の贈る『魔法の世紀』でした。

この本は、僕の初の単著の単行本で、宇野常寛さんが運営されているPLANETSのメルマガ『ほぼ日刊惑星開発委員会』の連載に加筆修正を加えたものです。そもそも、この「魔法の世紀」という言葉は、宇野さんとの対談の中で出てきた言葉です。宇野さんを始めとして、編集構成のほたてさん、菊池さん、阿部さんには大変お世話になりました。出会いがモチベーションを作るし、偶発性が閃きを生む、そんなチームだったと思います。

さて、この本のあとがきに、僕はモチベーションとビジョンという二つの言葉を添えたいと思います。

コンピュータと文化の話は再三再四書いてきたのですが、人間とコンピュータの決定的な違いはモチベーションやビジョンがそこにあるかどうかだと思います。ここでいうビジョンとは、個人的なフェティシズムに基づく批判的な視野のことで、個人的な経験や身体性に基づく視座のことです。難しそうな言葉を使っていますが、一言で言えば、人生経験を通じて僕たちに生まれるこだわりのことです。

コンピュータと自然物がごちゃ混ぜに混ざり合った世界であるデジタルネイチャーでは、知的処理に関わる大抵のことはコンピュータがやってくれます。そのとき、人間がコンピュータに与えるべきものは、実はそのモチベーションやビジョンであり、行動へと舵を切るきっかけです。

その舵を切るきっかけは「楽しむ心」だと思います。「楽しむ心」さえあれば大抵のものは楽しい。とすれば、最初にどうやって「楽しむ」ための舵きりを与えられるのかが、モチベーションを作る上では極めて重要です。そして、この姿勢を決める最も原初的なところは、人間のフェティシズムからしか出てこない。それが僕の持論です。

では、僕がどんなフェティシズムを持っているのか、僕の21世紀に対するモチベーションとは何かという話を最後に述べることで、あとがきにしたいと思います。

僕はこの世界から21世紀中になくしたいものが三つあります。それは「ゲート」、もう一つは「重力」、そして最後は「繋ぎ目」です。これらは、この世界に多数存在している人類にとっての思考の枷の中でも、特に大きなものです。

「ゲート」とはホワイトカラーの社会に規定された、一種の「改札装置」のことです。例えば、お店のレジだとか、電車の改札だとか、銀行の窓口だとかがそうです。あらゆるものがコンピュータに記録される現在、電車を降りて特定のゲートをくぐって出ていくことや、レジに並んでものを買うのは、本当は無駄なことのように思います。

確かに、かつては人間の活動を観察するのが人間であったがゆえに、あるゲートを設けてそこに観察のコストを集約する必要がありました。しかし、ホワイトカラーが今やコンピュータに置き換えられつつあるとき、こういう構造は本当に必要なのでしょうか。自動で課金されて万引きが不可能になればレジは不要です。人間のログを残して電車を降りたときに課金できれば改札を通る必要はありません。そうなると建築の様式や都市の構造は変わるはずです。

もう一つのなくしたいものは、重力です。

もちろん、この地球上から重力をなくすと言っているわけではありません。そうではなくて、我々の思考のフレームワークの中にある、多くの重力に起因するものを取り除きたいのです。

例えば、私たちは誰かと会話をするときに、テーブルに座ることで視線を合わせて会話しようとします。しかし、四つの足で床に立つテーブルという存在は、重力の存在を前提にしています。もし人間が3次元空間を自在に移動できるようになったら、こういう私たちが当たり前だと思っている構造物の制約は必要なくなり、ビジュアルも大きく変わるはずなのです。

そのとき、人間はどんなふうに認識が変わるのでしょうか。例えば、私たちがコミュニケーションに共通の視座を求めたり、とかく平面的なモチーフを求めたりするのは、誰かと共同で対話するときに、平べったい机に並んで視線を合わせることに強く影響されているのかもしれません。少なくとも、私たちのコミュニケーションにおいて視線を合わせるという行為が持つ意味合いや、テーブルに並ぶということの意味合いは変化するでしょう。それは、ギブソン的な意味での物質と身体の関係性が再定義されることを意味しています。

その意味で、3次元的な映像やマニピュレーションの研究は、重力が縛りつけている人間の思考の枷を解放していく行為です。人は宇宙に出れば認識が変わるでしょうし、また逆に重力の持っていた平面性への回帰運動も起こるでしょう。そのとき、何が必要で、また何が必要でなくなるのかを研究することは、必ず新たな視座を生むはずなのです。

そして最後の一つは、繋ぎ目です。

生物には、ほとんど繋ぎ目がありません。それなのに、世の中の人工物の多くが材質的な、形状的な繋ぎ目を持っています。それは工業的な生産過程を経て世に出てくることの必然でもあります。

この制約もまた、我々の思考を縛っているのではないでしょうか。この繋ぎ目の発想は、物質と人間の関係性において足し算で何かが生成されるようなフレームワークを我々に与えているように思います。

しかし、ここからは繋ぎ目のない存在を我々は思考することになるでしょう。実際、

3Dプリンタを使うと、これまでの我々の成型技術では作れなかったような、複雑な内部構造を持つ一体成型の物体を作ることができます。今後、さらにあらゆるものがファブリケーションされ、バイオロジカルに生成されていくとすれば、さらに生物の中から金属が生えているようなものや、ガラスだけでできた家や、単素材でありながら機能を持つ物質などが、この世界に溢れてくるでしょう。

そのとき、我々は何かの組み合わせでものを作る思考よりも、一点ものとして機能するような繋ぎ目のない存在を思考せざるをえなくなるのだと思います。

僕は日々、こんなことを頭に置きながら、身の回りのものを眺めたり、研究をしたり、作品を作ったりしています。そして、こういうことを考えるのが、僕のビジョンやモチベーションを保つためのフェティシズムであり、こだわりなのです。

最後になりましたが、本著に関わった全ての人に最大の感謝を。

21世紀が「魔法の世紀」になることを信じて。

ありがとうございました。

［画像出典一覧］

写真3	https://ja.wikipedia.org/wiki/Alto
写真4	https://en.wikipedia.org/wiki/Ivan_Sutherland
写真5	https://ja.wikipedia.org/wiki/Sketchpad
写真6	http://design.osu.edu/carlson/history/PDFs/p757-sutherland.pdf
写真7	http://skim220.rochestercs.org/project2/
写真8	https://en.wikipedia.org/wiki/Alan_Kay
写真9	http://awards.acm.org/award_winners/warnock_4021408.cfm
写真10	https://en.wikipedia.org/wiki/Edwin_Catmull
写真13	https://vimeo.com/44545342
写真14	https://en.wikipedia.org/wiki/The_Lady_and_the_Unicorn
写真15	https://ja.wikipedia.org/wiki/工場の出口
写真16	http://artpulsemagazine.com/nam-june-paik-live-feed-1972-1994
写真17	http://www.smoothware.com/danny/woodenmirror.html
写真18	https://vimeo.com/2211999
写真21	https://en.wikipedia.org/wiki/Fountain_(Duchamp)
写真22	https://www.youtube.com/watch?v=PVK1aiIj6p8
写真23	http://www.wired.com/2007/06/the_future_of_b/
写真24	https://www.youtube.com/watch?v=MRx4oJQ5Tcs
写真25	http://img5.dena.ne.jp/ex51/cb/6/4487350/2/59860098_1.jpg
写真26	https://en.wikipedia.org/wiki/DeepDream
写真27	https://en.wikipedia.org/wiki/Shanghai_World_Financial_Center
写真28	https://en.wikipedia.org/wiki/Chauvet_Cave
写真29	https://blogs.nottingham.ac.uk/makingsciencepublic/2015/09/20/naturalartificial/
写真30	https://ja.wikipedia.org/wiki/縄文土器
写真31	https://de.wikipedia.org/wiki/Codex_Forster
写真32	https://www.youtube.com/watch?v=FKXOucXB4a8
写真34	https://www.youtube.com/watch?v=FG7qoFubf04
写真35	http://wwwx.cs.unc.edu/~dfeng/fun-graphics.php
写真36	https://en.wikipedia.org/wiki/Stanford_dragon

[引用文献一覧]

引用1　モリス・バーマン『デカルトからベイトソンへ―世界の再魔術化』1989

引用2　パオロ・ロッシ『魔術から科学へ』1999

引用3　Mark Weiser, The Computer for the 21st Century 1991

引用4　Mark Weiser and John Seely Brown,The Coming age of calm technology 1996

引用5　Marshall McLuhan, The Gutenberg Galaxy: the Making of Typographic Man 1962

引用6　Alan C. Kay, Personal Computer For Children of All ages 1972

引用7　暦本純一「実世界指向インタフェースの研究動向」1996

引用8　Ivan E. Sutherland, The Ultimate Display 1965

引用9　Shannon, Claude Elwood, A symbolic analysis of relay and switching circuits 1940

引用10　I. E. Stithedland, Sketchpad: A Man-Machine Graphical Communication System 1963

引用11　I. E. Stithedland, A head-mounted three dimensional display 1968

引用12　Vannevar Bush, As We May Think 1945

引用13　Ishii, H. and Ullmar, B. Tangible bits: Towards seamless interfaces between people, bits and atoms. 1997.

引用14　Alexey Stomakhin, Craig Schroeder, Lawrence Chai, Joseph Teran Andrew Selle, A material point method for snow simulation 2013

引用15　Moritz Baecher, Emily Whiting, Bernd Bickel Olga Sorkine-Hornung Spin-It: Optimizing Moment of Inertia for Spinnable Objects 2014

引用16　V.F. Pamplona, M.M. Oliveira, D.G. Aliaga and R. Raskar, Tailored Displays to Compensate for Visual Aberrations 2012

引用17　Lung-Pan Cheng, Patrick Lühne, Pedro Lopes, Christoph Sterz, Patrick Baudisch Haptic Turk: a Motion Platform Based on People 2014

引用18　Marc Levoy,Pat Hanrahan Light Field Rendering 1996

引用19　Paul Debvec,Tim Hawkinsy,Chris Tchouy,Haarm-Pieter Duikery,Westley Sarokiny,Mark Sagarz Acquiring the Reflectance Field of a Human Face 2000

引用文献の詳細は http://wakusei2nd.com/mahonoseiki-inyoubunkenで公開しています。

＊本書は株式会社ＰＬＡＮＥＴＳ発行のメールマガジン「ほぼ日刊惑星開発委員会」で連載されていた「魔法の世紀」第１回〜第８回（vol.116、vol.140、vol.160、vol.194、vol.228、vol.310、vol.345、vol.361）を再構成した上で、大幅な加筆を加えたものです。

魔法の世紀

二〇一五年一一月二十七日　第一版第一刷発行
二〇一五年一二月四日　第二版第一刷発行
二〇二〇年四月三十日　第二版第九刷発行

著者　落合陽一
発行者　宇野常寛
発行所　株式会社PLANETS／第二次惑星開発委員会
http://wakusei2nd.com/
info@wakusei2nd.com
ブックデザイン　鈴木成一デザイン室
本文DTP　坂巻治子
印刷・製本所　日経印刷株式会社
ISBN978-4-905325-05-5　C0004